相互扶助の精神と実践

クロポトキン『相互扶助論』から学ぶ

大窪一志 著

同時代社

はじめに

大杉栄訳のクロポトキン『相互扶助論』（同時代社）はロングセラーになっていますが、ことにコロナ禍のもとで例年よりも多くもとめられ読まれたということです。そこで、特に若い人たちがこの本を読むうえで手引になるような解説書を、という要請があって、本書が編集されました。

本書は三つの部分から成っています。

第一の「クロポトキン『相互扶助論』から学ぶ」は、著者が京都フォーラムの学習会（二〇一八年三月）で発表した報告をそのときの質疑応答・討論をふまえて加筆修正したものです。ネット上の『単独者通信』に掲載したものをさらに少し書き換え、書き加えました。ここでは、『相互扶助論』の記述に沿いながら、人間社会の相互扶助はどのようにして生まれてきたのか――相互扶助の成立――、相互扶助は人類の歴史のなかでどのように展開してきたのか――相互扶助の歴史――、近代において衰えてきてしまった相互扶助をどのようにして甦らせるのか

――相互扶助の実践――についてのべています。

第二の「相互扶助の暗黙知を再発見する」は、雑誌『季刊 at』の「アナキズムの再審」という特集（二〇〇七年一〇号）に書いたものです。ここでは、社会の成員同士の相互扶助と個人の自由との関係をどう考えるべきか、人間の社会の展開のなかで人間同士の共同性と敵対性とがどういう関係で発展してきたのか、相互扶助はイデオロギーではなく科学にもとづいているとされていますが、そのときの「相互扶助の科学」と「近代の自然科学・社会科学」や「科学的社会主義（マルクス主義）の科学」との違いはどこにあるのか、といった論点からクロポトキンの思想を検討しています。

第三の「いまクロポトキン『相互扶助論』を読み直す」は、雑誌『情況』の「クロポトキン『相互扶助論』」という特集（二〇〇九年五月号）でおこなわれたインタビューです。ここでは、近代思想の歴史のなかでクロポトキンと『相互扶助論』がどういう位置を占めているのか、どういう思想の流れと関連しているのか、近代が行き詰まり終わろうとしているなかで相互扶助がなぜ重要になっているのか、相互扶助を蘇生させるための課題などを、筆者自身の体験や思想遍歴と関わり合わせながら語っています。

いずれの稿も、雑誌等に発表されたものに表現の上で若干の修正をおこなった箇所があります。また、第三の「いまクロポトキン『相互扶助論』を読み直す」については、雑誌掲載時にはついていなかった注記を新たに書き加えました。

まず、第一のパート「クロポトキン『相互扶助論』から学ぶ」を読んでいただければ、『相互扶助論』の全体像がつかめると思います。次に大杉栄訳『相互扶助論』につけた解説「甦れ、相互扶助」、『相互扶助論』の続編をなすクロポトキンの論文を訳して集めた『相互扶助再論』(同時代社)につけた解説「生命の秩序としての相互扶助」を読んでいただければ、クロポトキンの相互扶助思想の基本がおわかりいただけると思います。そのうえで、本書第二のパート「相互扶助の暗黙知を再発見する」、第三のパート「いまクロポトキン『相互扶助論』を読み直す」を読んでいただければ、個別の問題点が深められるのではないかと思っています。

クロポトキン『相互扶助論』から学ぶ

二〇一八年三月二日、京都フォーラムの学習会に招かれ、「クロポトキンの『相互扶助論』から何を学ぶか」というテーマで発表をして、討論に参加しました。以下は、その際、午前の部、午後の部それぞれでおこなった発表を、討論をふまえて加筆修正したものです。

以下の「一　相互扶助の成立」（1〜4項）では、相互扶助は何をもとにして成立したのかを探りました。また「二　相互扶助の歴史」（5〜9項）では、人類が誕生してから今日まで相互扶助はどのような形をとってきたのかをたどりました。さらに「三　相互扶助の実践」（10〜15項）では、現在衰えてきてしまった相互扶助をどうすれば再生できるのかを考えてみました。

一　相互扶助の成立

相互扶助論の発想はフィールドワークから生まれた

相互扶助は人間の意識を通じて創り出されたのではなく動物の本能にもとづいて生まれた

人間の相互扶助は「無意識の良心」によるものである

相互扶助が働く社会は「自然社会＝共同社会＝実在社会＝基礎社会」である

英語版原著　*Mutual Aid* 1919 edition

1　相互扶助論の発想はフィールドワークから生まれた

最初に『相互扶助論』を書くに至るまでのクロポトキンの歩みを簡単に見ておくことにいたします。そこから、クロポトキンが、どのようにして相互扶助論の発想を懐くようになったのかを確かめるためです。

ピョートル・クロポトキンは、一八四二年、モスクワでキエフ公国以来の名門貴族クロポトキン家に生まれました。キエフ公国というのは、一二世紀に建国され、ロシア帝国の基のひとつになった国です。

父親が軍人だったこともあって、ピョートルは近習《きんじゅ》学校という学校に入学することになります。近習学校というのは、クロポトキンの自伝では英語で The Corps of Pages と書かれておりまして、日本でいえば陸軍幼年学校のような軍学校です(1)。近習すなわち Page というのは帝室お付きの小姓というような意味で、帝室直属の近衛将校養成学校だったわけです。そういうエリートを養成する学校ですから、軍事だけではなく、広く深い教養を身につけるような教育がおこなわれていました。ピョートルは、自然科学に興味をいだいて、以後、自然地理学や生物学を深く学んでいきます。

やがて、卒業したクロポトキンは、サンクト・ペテルブルクの近衛連隊に入隊し、一八六二年に自ら望んで東シベリア・イルクーツクの連隊に赴任しました。

当時のイルクーツクの総督コルサーコフ、司令官クーケルは自由主義思想の持ち主で、彼らのもとでクロポトキンはチタ市の監獄および追放制度改革委員会・市政自治計画準備委員会の書記に就任しました。そして、その職務を通じて、ザ・バイカリーア地方の人々と広く交わりながら、この地方の社会の実態調査と改革案の検討をおこなったのです。この調査研究のなかで、クロポトキンは農村における村落共同体《ミール》の状況や農民たちの習慣、政府の政策の誤りを具体的に知ることができたのです。

クロポトキンは、自分の半生を書いた『ある革命家の手記』のなかで、次のようにのべています(2)。

> 私がシベリアでおくった五年間は、人生と人間の性質についてのほんとうの教育を私にほどこしてくれた。私はあらゆる種類の人間と接触した。最善の人間と最悪の人間、社会の最上層に立っている人間とどん底にあえぐ人間——浮浪者や救いがたい犯罪者——その

いずれとも知り合った。私は農民たちの日常生活における習慣を思う存分観察することができたし、また政府の行なう政治が、たといどんなにいい意図のもとに行なわれたにしても、農民たちの生活をうるおすことはほとんどできないということも観察することができた。

このようにして状況をくわしくつかんだ当時の民衆生活のありかたをめぐる歴史や諸制度について、クロポトキンは調査中にも、その後も、多くの文献を読んで学んでいます。こうした現実社会のフィールドワークとそれにもとづく研究が相互扶助研究の下地になっていたのです。

クロポトキンがイルクーツクに赴任した年の前年、一八六一年には、アレクサンドル二世が農奴解放令を出しており、ロシア国内で自由化が進展しようとしていました。けれど、やがてこうした自由化に対する反動が生じてきまして、コルサーコフやクーケルが解任されるという事態になりました。そこで、チタのこれ以上の改革はできないと考えたクロポトキンは、アムール川流域の学術調査隊に参加することになりました。

クロポトキンは、先ほどもふれたように、それまでに自然地理学と生物学を深く学んでいて、それまで学術調査がおこなわれていなかったザ・バイカリーアからアムール川流域の調査に学問的な関心をいだいていたのです。ですから、いい機会が到来したと考えて、この学術調査に参加したわけです。そして、その調査の過程で、東シベリアの地理と動植物の生態をつぶさに観察してさまざまな知見を得たクロポトキンは、調査後に調査報告と論文を書いていて、これがヨーロッパの学会でも重要な研究成果として認められました。

こうした自然界でのフィールドワークから動物の相互扶助の実態に関するさまざまな知見を得たのです。これが、『相互扶助論』の考察の出発点になっていることは、クロポトキン自身が「序論」でのべているとおりです[3]。そして、副題が「進化の一要因」A Factor of Evolutionとなっていることも、それを証しています。

Peter Kropotokin in Siberia, 1864

このようにして人間社会と動物社会のフィールドワークのなかで発見し、記録や文献を渉猟して得た相互扶助の事実の叙述が『相互扶助論』の内容の大半を占めています。ですから、『相互扶助論』という著作は、けっして出来合いのイデオロギーや理念を説いたものではなくて、みずから実地に調べて得た事実を説いたものなのだということを強調しておきたいと思います。

実際に、「動物の相互扶助」をはじめとする『相互扶助論』は、科学論文として雑誌に掲載されたものなのです。英国の雑誌『十九世紀』（*The Nineteenth Century and After*）に連載されたものなのですが、クロポトキンは、自然地理学、生物学をはじめ物理学や化学を含む自然科学に広く通じていたので、それ以前から、この雑誌の「最新科学」欄を担当して科学の最新トピックの解説をしていたのです。そうした科学ジャーナリストとしての活動の一環として書いたものなのです。これが『相互扶助論』の第一の特徴といえます。

注

（1）フォーラムでの討論のなかで竹中英俊さんに指摘されて気がついたのですが、『相互扶助論』の日本語訳者である大杉栄も、父親が軍人で、名古屋の陸軍幼年学校に入学しています。これは単なる偶然ではなく、軍人の家庭に育って少年のときから軍人教育を受けたことは、それに反逆する意味も含めて、クロポトキンと大杉ふたりの思想形成に大きな影響を及ぼしたにちがいありません。

（2）ピョートル・クロポトキン［高杉一郎訳］『ある革命家の手記』上（岩波書店、一九七九年）pp.217~218

（3）ピョートル・クロポトキン［大杉栄訳］『相互扶助論』（新装増補修訂版、同時代社、二〇一七年）pp.11~13

2　相互扶助は人間の意識を通じて創り出されたのではなく動物の本能にもとづいて生まれた

『相互扶助論』は「動物の相互扶助」という章から始まります。しかも、全八章のうち二章をこの動物の相互扶助に費やしています。そして、そのなかでは、動物の社会でいかにさまざまな相互扶助がおこなわれているかについて、多数の具体的な例を挙げながら論じられています。

これは、人間の社会だけでなく動物の世界にも相互扶助に当たるものが見られます、ということを示そうとしたものではありません。そうではなくて、逆に、相互扶助というのは、人間が考え出したものではなく、生物自体の生命活動にもともとそなわっている性質であって、人間は動物からそれを受け継いだのだということを言おうとしているのです。

この観点は全篇に貫かれています。それは、序論に「きわめて長い進化の間に人類の承継《うけつ》いで来たこの相互扶助の本能が……今日なお非常に重要な役目を演じていること」を説明しようとしたのだ、といっている(4)ことにも示されています。

だから、クロポトキンは、「相互扶助をおこなわなければならない」と説いているのではなくて、「相互扶助は生物にとってあたりまえのこと、なくてはならないものなのだ」ということを事実を通じて明らかにしようとしているのです。そして、そのあたりまえのこと、なくてはならないものがあたりまえではなくなり、失われつつあるのはどうしてなのか、何によってそうなってしまったのかを私たちに考えさせようとしているのです。

クロポトキンより前に、この点、すなわち相互扶助は動物の本能だったのだということを科学論文において明らかにしたのが、ロシアの動物学者のカール・フェドロヴィッチ・ケッスラー「相互扶助の法則について」などの論文でした。そのことはクロポトキンが序論でふれています。(5)

一九世紀半ばにチャールズ・ダーウィンの『種の起原』を読んだロシアの博物学者たちは、「生存闘争」の観念に抵抗を示し、ケッスラーをはじめ、植物学者ベケトフ、生理学者メチニコフなどがその研究実績やフィールドワークから「闘争なき進化」を証明し、むしろ「進化の要因は生物の相互扶助にある」としたのです。

ロシアの生物学者たちの多くがこぞってこのような見解を取ったことは、ロシアの伝統的思想の性格の問題として注目されます。(6) クロポトキンは、これらの研究を受け継いで、自分の体験や調査研究を合わせて、「動物の相互扶助」を書いたのです。

この「生存競争と相互扶助」という問題では、「個体の生命維持」と「種の繁殖」との関係ということが問題にされ、ケッスラーたちは、同種の個体の間で生存競争をするより、種全体が繁殖する方向を選ぶのが生命の本能であることを立証しようとして証拠をあげております。そのとき、そのなかで、人間社会の相互扶助とも関係して重要なのは、ウォーレスらが提起してクロポトキンが取り上げている「形質の分岐」divergence of character という問題です。[7]

形質の分岐とは、簡単にいえば、こういうことです。

ある生物の種が特定の環境のなかで増えすぎたとき、どうするか。たがいに闘いあって淘汰されていくのか。そうではなくて、その種の一部が、棲む地域を変えたり、食べる食物を変えたりして、同種の間での競合を避けていく。そして、棲む地域、食べる食物を変えた個体群は、その新しい環境に応じて、身体を変えていく。それが遺伝を通じて定着していくと新種が生じる。これが「形質の分岐」です。これによって、種全体としては多様化しながら繁栄していくことができるわけです。これについては、クロポトキンが、『相互扶助論』の続篇として書いた「進化論と相互扶助」（日本語訳『相互扶助再論』所収）という論文で詳しくのべています。[8]

たとえば、僕はエクアドルを旅しているとき訪れたガラパゴス諸島でイグアナの生態を見たことがあります。そのとき説明を受けたイグアナの「形質の分岐」を見てみましょう。

いまガラパゴス諸島にはリクイグアナ、ウミイグアナ、ハイブリッドイグアナという三種類のイグアナがいます。

ガラパゴス諸島は海底火山の噴火でできた太平洋上の孤島で、ここに棲んでいるイグアナは南米大陸から漂着した個体が繁殖したものと考えられています。南米大陸から来たイグアナは、地上の植物の花や果実を食べる陸棲のイグアナでした。こういうイグアナが、いまでもエクアドルの港町グアヤキルなどでは、町中の公園などでもたくさん見られました。そういうイグアナが海を渡ってやって来たのです。ところが火山島であるガラパゴスに繁殖する植物は限られていますので、イグアナが増えてくると、食物が足りなくなってきます。

そのときに、海に生えている海藻に活路を見出そうとしたイグアナがおりました。彼らは海辺に住処を変えて、海に入って海藻を食べて生きていくようになりました。そして、その海の環境に適応するために、岩にしがみつきやいように爪が鋭く強くなったり、海中に長く潜っていられるように肺活量が大きくなるようになったり、身体を変化させていきました。そうして、何代も経るうちにウミイグアナという変種が生まれるようになったのです。

ところが、近年、地球温暖化の影響で海藻がきわめて少なくなってしまいました。食糧危機に陥ったウミイグアナは、リクイグアナが減ったために豊富になっていたサボテンの花などの植物を食べるようになって陸棲化し、リクイグアナと交配して、爪が強いので大きなサボテンに登って餌にすることができる雑種、ハイブリッドイグアナが生まれたのです(9)。

ガラパゴスリクイグアナ（Conolophus subcristatus）

これは、形質の分岐の良い例です。動物は、このようにして、個体同士の闘争で勝ち残ろうとするよりも、生息地や食糧を変えて、それに適応した新種に進化するというかたちで、同一の種のなかで多様化しつつ共存しながら種全体としては繁殖するという途を採っているのです。

人間社会でも、これと同じように生存競争を回避して自由な生存を選んだ諸民族として「ゾミア」Zomiaと総称されるアジアの高地に住むさまざまな高地民が知られています。彼らは、ヴェトナムの中央高原からインド北東部の高原に至る地域の標高三〇〇〇m級の山地に住んでいますが、いずれもかつては平地に住んでいた民族であって、そこからあ

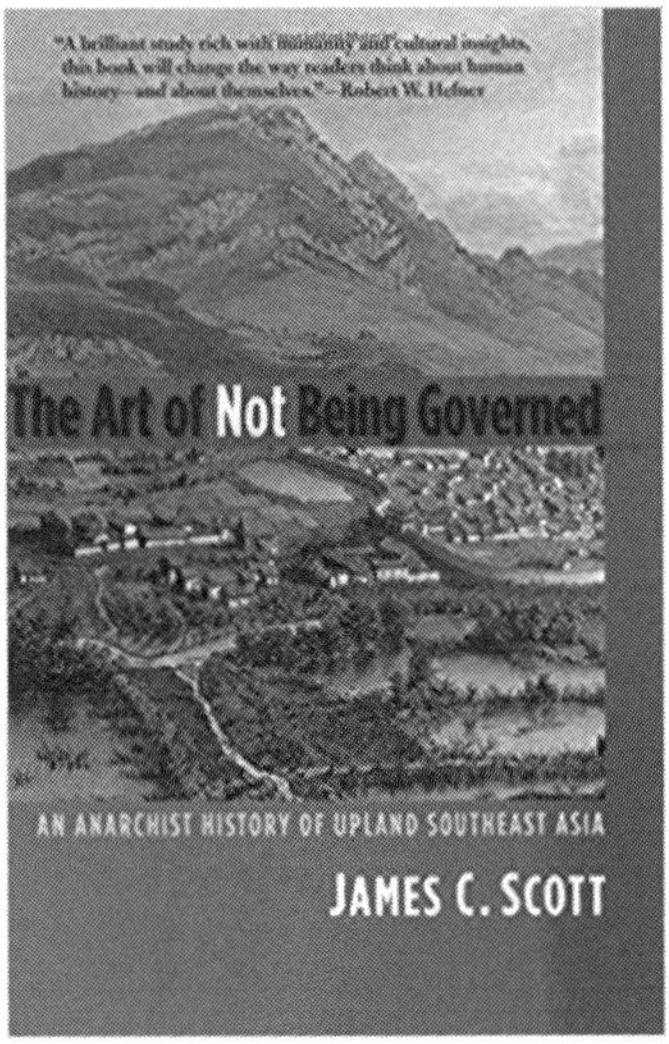

The Art of Not Being Governed

えてこの暮らしにくい山地に集団で移住してきた民族なのです。

人類学者のジェイムズ・C・スコットは、*The Art of Not Being Governed*「支配されないで生きる方法」という著作、日本語訳は『ゾミア――脱国家の世界史』のなかで、こうした民の生き方を詳細に論じています[10]。

彼らはかつて住んでいた地域に確立されようとした他民族の文明国家に隷属して生きるよりも、自然と共存して自由に生きるために、居住地を移し、生産と消費を変え、独立自尊の生活を営んできたのです。一面では「逃亡民」「避難民」といえるかもしれませんが、他面では、むしろ主体的、積極的に自分たちの独立自尊の、支配されない生活を守るために新天地を開いてきた「自由の民」「独立の民」なのです。

京都フォーラムは、プロジェクトのひとつとして、中国四川省のイ族との交流・支援をおこなっていることをさきほど知りましたが、彼らイ族もゾミアの民のひとつです。僕は、テレビのNHKドキュメンタリー番組『秘境中国　謎の民　天頂に生きる』[11]で、彼らのことを知りました。

ずっと前に世田谷美術館で三星堆遺跡出土の美術を観たことがありました。縦目仮面とか神樹とか、それまで見たことがない造形の祭祀用具に驚嘆しました[12]。これらは約三五〇〇年前に揚子江上流に栄えた長江文明の遺物ということでした。ところが、テレビドキュメンタリーを観たら、なんと、この長江文明を築いた民が、侵攻してくる他民族との戦いを避けて、高地に転々と移住した末に、文明を捨てて、秘境大涼山山脈に行き着き、そこで自由に生きていた、それがイ族だったというので、びっくりしました。

イ族のシャーマン
（NHK TV『秘境中国　謎の民　天頂に生きる』より）

彼ら、驚嘆すべき独特の文明を築いた三星堆の古代民族が、文明を捨てて、秘境の地に逃れて、そこで支配を受けない自由な生活を営んでいたのです。これはゾミアの典型というべきものでしょう。このように、人間社会においても、生物社会と同じように、「形質の分岐」にあたる進化的発展がおこなわれて、多様で自由な生活が広がっていったのです。

あとであらためて見ることにしますが、人間社会は、この形質の分岐に見られるようなかたちで、生存競争よりも相互扶助を通して、多様化と自由に向けて進化してきた動物社会の本能を受け継いできたからこそ、相互扶助を発展させることができたのです。

人間社会の相互扶助は、動物の本能を受け継いだものである――これが、クロポトキンの相互扶助論の第二の特徴です。

注

（4）前掲・『相互扶助論』p.19

（5）同前 pp.13~14　大杉訳では「ケスレル」となっています。ここでクロポトキンは、ケッスラーが相互闘争より相互扶助のほうが進化により重大な影響を及ぼしたと指摘していることを高く評価していますが、ケッスラーが相互扶助の起源を親子の情などにおいていることを批判しています。

（6）これらのロシア生物学者たちの研究とその意味については、ダニエル・P・トーデス『ロシアの博物学者たち―ダーウィン進化論と相互扶助論』（工作舎、一九九二年）を参照してください。

（7）これは大杉訳では「特質の分岐」となっていますが、今日では「形質の分岐」といわれているようです。

（8）ピョートル・クロポトキン［大窪一志訳］『相互扶助再論』（同時代社、二〇一二年）所収の「進化論と相互扶助」を参照してください。この論文では、進化の問題として説かれた「形質の分岐」を、生物の分布、生態系の問題という側面から「生物学的隔離」「棲み着き colonization」という観点でも論じています。

（9）このようなイグアナの進化、特にハイブリッドイグアナの誕生については、水中写真家のサイト DEL PACIFICO の解説を参照してください。
https://plaza.rakuten.co.jp/delpacifico/diary/200707070000/

（10）ジェイムズ・C・スコット［佐藤仁訳］『ゾミア――脱国家の世界史』（みすず書房、二〇一三年）の序文を参照してください。

（11）NHKドキュメンタリー　スーパープレミアム「秘境中国　謎の民　天頂に生きる～長江文明を築いた悲劇の民族」
https://www.nhk.or.jp/docudocu/program/92393/2393148/…

（12）三星堆遺跡については、以下を参照してください。
https://ja.wikipedia.org/wiki/%E4%B8%89%E6%98%9F%E5%A0%86%E9%81%BA%E8%B7%A1

3　人間の相互扶助は「無意識の良心」によるものである

人間社会における相互扶助は、人間の意識を通じて創り出されたものではなく、動物の本能を受け継いだものだとのべました。それでは、いまの私たちの生活においては、相互扶助という行為は、どこに根づいておこなわれているのでしょうか。

西洋思想は伝統的に動物と人間とを画然と区別し、人間は意識をもった存在として動物とは根本においてちがう生物だととらえてきました。キリスト教では人間は「神の似像」であるといわれています。そして、生物すべてを支配させる役割を神からあたえられたとしているのです。旧約聖書創世記にそう書かれています[13]。

神は言われた。

「我々にかたどり、我々に似せて、人を造ろう。そして海の魚、空の鳥、家畜、地の獣、地を這うものすべてを支配させよう。」

神は御自分にかたどって人を創造された。

このような人間に対する見方は、現代に至るまで根強く続いてきました。

科学者の場合でもそうでした。たとえば、第二次大戦後の世界の霊長類研究をリードした京大理学部の研究グループが、生物としての霊長類と人間、霊長類社会と人間社会を連続的なものとしてとらえることで「共感法」(研究主体である人間が研究対象である霊長類と生活を共にし交流し合う研究方法) で大きな成果を挙げました。ところが、この研究に対し、欧米の学者たちは、それを単に研究方法に対する批判にとどまらない、生理的なレヴェルの嫌悪を示したのでした。それは、崇高な存在である人間を動物に貶めるものだというわけです。

だが、東洋においては、そうではありませんでした。

仏教では大乗涅槃経で「一切衆生悉皆成仏」、すなわち生きとし生けるものすべて仏になる可能性があるとされており、動物と人間との区別を二義的なものとする考え方が採られています。だから、意識についても、人間は意識をもった存在だからすばらしいというよりは、意識を重視するあまり出てくる「意識の賢しら」のためにかえって迷いの極致にいたりがちなのが人間だととらえられているのです。

ロシアにキリスト教が流布されたのは、九八八年ウラジーミル一世の洗礼以来のことですから新しく、それまではいわゆる自然宗教が広く定着しており、そこに根ざしたロシア思想は西洋思想とは異なる伝統をもっていたのです。

戦前に広く読まれたポクローフスキー『ロシヤ社会史』には、次のように書かれています。(14)

［正教会は「ロシア人の洗礼」を大々的に評価したが］実際には変化はまったく外面的であり、単に儀式上の変化が行われたのみであって、宗教的信仰は洗礼の前後ともに、当時に於ても、又その後に於ても、吾々の時代に至るまで、アニミズム……つまり霊魂の意志によって決定されると云う信仰に留まっていた。

ポクローフスキーは、これに続いて、ロシア人は「森は騒ぐ」「川は走る」というとき「真実に、全自然を生きているものと信じていたのである」とのべていますが、僕は子供のときにロシア人のサムイル・マルシャークが書いた『森は生きている』を読んで、森はほんとうに生きているみたいだな、と思ったのを思い出します。(15) そこには、すべてを包む「大いなる生命」というようなものが感じられます。

その「大いなる生命」のなかにあって、生命の根本のありかたは動物も人間も共通のものである、ということでしょう。そうした考え方は、生物というものの根本から人間のありかたをとらえようとする点で、むしろ、東洋思想と近いものをもっているのではないでしょうか。そして、クロポトキンは、そうしたロシアの伝統思想を受け継いで相互扶助を考えているように思われます。

人間を動物とは根本的に異なるものとしてとらえる西洋の人間観、特に近代の人間観においては、人間の本能を盲目的・原始的なものとして否定し、明証的で洗練されたものである意識によって本能を超克することができるのが人間であると考えられてきたのでした。

けれど、東洋思想やロシア伝統思想と同じく人間と動物の連続性を重視するクロポトキンは、本能的なものを捨て去ってしまった意識は無能であり、意識的なものを排除する本能もうまく働くことができない、つまり人間は本能を基礎にしながら、そこに意識があいまってこそ正しく行動できる、と考えていました。

ですから、動物の本能に根ざしていた相互扶助は、人間においては意識によって導かれるものではなく、意識以前の無意識の領域から発してくるものであって、意識に理由を探しても見

『森は生きている』

つからない、「無意識の良心」ともいうべきものとしてとらえられるべきものだとクロポトキンは考えていたのです。

それでは、「無意識の良心」とは、どういうものなのでしょうか。

『相互扶助論』では、海難救助や落盤事故救助の例をあげて、「なぜ成功の見込みのない時ですらもその生命を賭けて危険を冒しに行くのか」という問いに対して、救助におもむいた人たちは「救けを呼ぶのを聞いてそれに応じないでいることには『とても堪えられない』のだ」といったということに着目しています。

「とても堪えられない」という感情――それは「人間は遺伝的本能と教育との結実である」、「脳髄の屁理屈は相互扶助の感情に敵することはできない」のが「人間の心理の奥底」だとクロポトキンはいっています[16]。

だから、相互扶助の問題とは、人間に本来的に具わっている「無意識の良心」をどうやって呼び覚ますことができるかということだというわけなのです。

英語では「意識」は conciousness、「良心」は conscience といいます。これらは、どちらもラテン語の conscientia を語源にしたことばです。conscientia は羅英辞典を引きますと、joint knowledge と訳されていまして、他者と自己とを「共に知る」ことを意味しています。つまり、そういう知の作用を通じて、「意識」が生まれ、「良心」が生まれたということなのです。これは、ドイツ語やスペイン語でも同じです。ドイツ語では「意識」Bewußtsein は「良心」Gewissen と同根のことばですし、スペイン語では両方とも conciencia です。

ですから、良心は意識と切っても切れない関係にあるというのが西洋の考え方だ、ということになります。

ということになると、僕がつかった「無意識の良心」ということばは、「意識ではない意識」という矛盾した無意味な規定ということになってしまいます。僕がそんなことばをあえてつかったのは、西洋の考え方ではクロポトキンの言う相互扶助の根底をとらえることはできないということを示すためでもあったのです。これは、西洋思想の盲点をつくために用いた一種の逆説です。

しかし、フォーラムの討論の場でもさまざまなかたちで指摘されましたように、そんな逆説的な表現を用いるより、東洋思想で端的に言われていることをあてはめて説いたほうが、よほどすっきりしているのかもしれません。

特に、陽明学者の難波征男さんが、これと同じでしょうと指摘された孟子のいう「惻隠の情」は、おっしゃるとおり確かにクロポトキンのいうことにすっぽりあてはまります。この惻隠の情と相互扶助については、僕も書いたことがあります(17)ので、同感です。

なぜ井戸に落ちかけた子どもを救わなければならないのかについて、孟子は、これは「惻隠

孟子

の情」の心、すなわち「人に忍びざるの心」、やむにやまれぬ気持ち、いたたまれない感情が湧いてくるからである、といい、そのような感情が湧いてくるのは、「その四体〔四体とは四肢のことです〕あるがごときなり」、つまり意識的なものではなくて、むしろ手足などの肉体的なものと同じような本能的にそなわったものである、といっています。そして、この「惻隠」という意識以前のものが「仁」という意識的なモラルの根源なのだ——「惻隠の心は仁の端なり」——といっているのです[18]。

これは、クロポトキンの考えとほとんど同じです。クロポトキンは、こうのべています[19]。

　近所に火事のある時、われわれが手桶に水を汲んでその家に駆けつけるのは、隣人しかも往々まったく見も知らない人に対する愛からではない。愛よりは漠然としているがしかし遥かに広い、共同心または社会心（human solidarity and sociability 人間的な連帯と社会性）の感情もしくは本能が、われわれを動かすのである。

このように、相互扶助を意識以前の心の動きに発するものとしてとらえるのが、クロポトキン相互扶助論の第三の特徴です。

【補註】
京都フォーラムの場の討論のなかで、フロイトも「無意識の良心」を問題にしているようだが、それとクロポトキンのいう「無意識の良心」とは、どう関連し、どうちがうのか、と質問されて、いま的確には答えられないので、あとで答えるとして回答を保留しました。いま、その点について、僕の考えをまとめてのべておきます。

ジークムント・フロイトは『自我とエス』（一九二三年）のなかで、彼が無意識に属するものとしている超自我 das Überich が自己の罪悪を非難し自己批判させ正常な良心をなさせる機能を果たしていると論じています[20]。

しかし、この超自我の非難や批判は、両親のしつけによる叱責、命令、禁止などを通じて本能衝動が抑制されたことにもとづいており、それらが自我のなかに取り入れられて内在化され、独立した機能となったものと考えられています。フロイトは「父への憧憬にたいする代償形成としての自我理想」といったものが超自我の正体だと考えているのです。

つまり、この機能は、無意識に属してはいますが、もともとは両親という他者の意識を内在化したものなのです。したがって、元は意識にあります。また、その作用は、クロポトキンのいう相互扶助衝動のように本能に対する意識の抑圧をはねかえすものとは反対に、本能の衝動を抑圧するかたちをとるものです。

ただし、フロイトは本能には二種類ある、それは愛の本能としてのエロスと死の本能であるタナトスだと考えています。この点は『自我とエス』のなかで定式化されてのべられています。これについては、いまここで簡単に論ずることはできませんが、クロポトキンのいう「無意識の良心」が愛の本能にもとづくものであるとすれば、フロイトのいう「無意識の良心」は死の本能にもとづくものであり、正反対ではあるけれども、本能の二面にそれぞれ属しているとはいえるかもしれません。

また、これに関連して、京都フォーラム理事長の矢崎勝彦さんは、東洋思想における道義・道徳というものは、西洋思想における倫理のように神の絶対性に由来する超越的で定言的なものではなく、精神的でありながら肉体的なものと離れていない個体の根底から内発するものだと指摘されました。そういうことがいえるのかもしれません。矢崎さんは、相互扶助というものは、唯識で個人存在の根本にあるとされる阿頼耶識《あらやしき》から発するものとしてとらえられる、といいます。阿頼耶識とは、眼・耳・鼻・舌・身・末那に続く第八番目の識で、一切諸法を生ずる種子を内蔵している場とされています。これについては、あらためて、仏教の教説をよく学んでから考えることにします。

注

(13) 創世記 1-26~27
(14) ポクローフスキイ〔外村史郎訳〕『ロシヤ社会史』(1)(叢文閣、一九二九年)pp.57~58 引用にあたって、新字・新仮名に表記を改めました。
(15) サムイル・マルシャーク〔湯浅芳子訳〕『森は生きている』(岩波少年文庫、新版二〇〇〇年)参照。元はロシア民話。
(16) 前掲・『相互扶助論』pp.281~284
(17) 大窪一志「生命の秩序としての相互扶助」、前掲・『相互扶助再論』pp.268~269
(18) 孟子第三巻「公孫丑章句」上、『世界の名著』3=孔子・孟子 p.439(貝塚茂樹訳、中央公論社、一九六六年)
(19) 前掲・『相互扶助論』p.16
(20) 以下、フロイトの「無意識の良心」に関する論説は、ジークムント・フロイト〔小此木啓吾訳〕『自我とエス』、『フロイト著作集』第六巻(人文書院)によるものです。

4　相互扶助が働く社会は「自然社会＝共同社会＝実在社会＝基礎社会」である

動物の本能を受け継いだものであり、無意識のなかに定着している――このようにとらえられた相互扶助、そうしたものが構成員相互の間で働く社会は、動物が本能にもとづいて相互扶助をおこなっている自然発生的な動物社会と共通するものをもっていると考えられます。その社会とは、「日本社会」「アメリカ社会」などというように一般にとらえられている社会とはちがうものなのではないでしょうか。

実際、『相互扶助論』は、「原始共産制社会・古代奴隷制社会・中世封建制社会・近代資本制社会」あるいは「王政社会・貴族政社会・民主政社会」といった経済体制・政治体制に規定された社会の歴史ではなくて、「種族共同体・氏族共同体・村落共同体・ギルド／自由都市共同体」というかたちの、人間どうしの結びつき方を基準にして社会の歴史を叙述したものなのです。そこには社会観において大きな違いが見られます。

ですから、ここでは、経済体制・政治体制に規定されて動く社会と人間どうしの具体的な結びつき方によって動く社会を分けてとらえる必要があるように思われます。

社会というものは、単純一律にとらえられるものではありません。日本社会も社会なら、日本のなかのある会社の職場でいっしょに仕事をしている人たちも職場社会というひとつの社会に属しているのですし、またいっしょに暮らしている地域の人たちとともにひとつの地域社会に属しているのです。これらの社会は、それぞれ性格を別にする独立した社会であって、区別しなければなりません。

そうした区別のなかで、社会を大きく二種類に分けてとらえる社会観は、これまでいくつも存在していました。それらのいくつかを見ておくことにしましょう㉑。

これらに共通しているのは、人間のなかにも貫かれている自然に立脚した社会と、もともとはそれを基にしていながらその上に人為的な手段によって構成したしくみをつくりあげ、それによって動かされている社会とが対比されていることです。自然的な秩序をもった社会と人為的な秩序によって動く社会ということです。

まず一八世紀英国の政治家で政治思想家のエドマンド・バークがそうです。バークはフランス革命を批判した保守思想家といわれていますが、その社会観には見るべきものが含まれています。

Edmund Burk

バークは、社会を「自然社会」natural society と「人為社会」artificial society の二つに分けてとらえています。

その著作『自然社会と人為社会』のなかで、「自然社会」というのは、なにかの人為的な設立によってではなく、自然の欲望と本能にもとづいて結びついている社会であるのに対し、「人為社会」というのは、人為的な啓示から聖化された人為的な法によって政治的に組織された社会であって、従属関係 subordination によって結ばれた社会であるとのべています。

一九世紀後半から二〇世紀にかけてドイツで社会学を研究したフェルディナント・テンニースもそうでした。彼は『ゲマインシャフトとゲゼルシャフト』のなかで、その題名通り、社会を「ゲマインシャフト」Gemeinschaft と「ゲゼルシャフト」Gesellschaft とに分けてとらえています。

ゲマインシャフトは、「共同社会」と訳されていますが、実在的・有機的な生命体のように考えられる結合体、信頼に満ちた親密な共同生活体をあらわすとされています。

ゲゼルシャフトは、「利益社会」と訳され、観念的・機械的な形成物と考えられる結合体、公共生活や世間をなしているものだということです。

一九世紀後半フランスで活動したアナキズム思想家ピエール・ジョセフ・プルードンも、同じようなかたちで、社会を「実在社会」société réel と「公認社会」société officiele に分けてとらえています。

プルードンは、「実在社会」は絶対的で不変の法に従っている社会であって、これこそが生きた真実の社会だとしています。これが、バークのいう自然社会、テンニースのいうゲマインシャフトにあたります。そして、一般に社会として公式に認められている社会である「公認社会」は真実の社会である実在社会が傷つけられた結果かぶっているかさぶたにすぎないというのです。

日本にも、そのような社会観をもった学者がおりました。戦前・戦後京都大学や大阪大学で教鞭をとった社会学者・経済学者の高田保馬です。高田保馬は、「基礎社会」と「派生社会」とに分けてとらえました。

Ferdinand Tönnies

P.-J. Proudhon

「基礎社会」とは、自然発生的に形成され，人間がそのなかに運命的に組み込まれる社会であり、「派生社会」は、基礎社会から派生する社会で、階級や宗教団体など類似にもとづく「同類社会」と学校、企業、政党など共通目的にもとづく「目的社会」に分けられると高田保馬はのべています。

このように、それぞれの学者が別々の概念を建てながら、共通した内容の二分化をおこなっています。

そのほか、アメリカの社会学者マッキーヴァーの「コミュニティ」communityと「アソシエーション」association、フランスの社会学者デュルケームの「有機的連帯」solidarité organiqueと「機械的連帯」solidarité mechaniqueなども、いま挙げた四人の論とは少し性格が異なりますが、共通するところのある分け方だといえます。

これらの二種類の社会は、構成員の結合のしかたで特徴づけるなら、「自然社会＝共同社会＝実在社会＝基礎社会」系列の社会が、人格相互の関係を通じた結合であり、したがって、非公式的で黙契的で自生的な社会であるのに対して、「人為社会＝利益社会＝公認社会＝派生社会」系列の社会は、制度や機構を通じた結合であって、公式的で明示的で制度化された社会であるというふうに対比できます。

歴史的には、「自然社会＝共同社会＝実在社会＝基礎社会」優位から「人為社会＝利益社会＝公認社会＝派生社会」優位へと進んでいき、特に近代においては後者の優位が決定的になったとされています。

けれど、歴史過程すべてを通じて、これら二つの社会はつねに二重の形で存在しているというのが、クロポトキンの見方でした。

高田保馬

「自然社会＝共同社会＝実在社会＝基礎社会」はけっしてなくなりません。そして、まったくなくなったかのように見えても、実は眠っているのであって、例えば大震災などの際の被災者共同体や、ソ連国家崩壊のときの非常時共同体などのように必要とされるときに甦ってくるのです。

ただ、衰退させられていくことは確かで、相互扶助再生のためには、潜在している前者の社会を意識的に再生させていくことが必要とされていると僕は考えています。

まとめてみると、次の表のようになります。

〈二重の社会〉

底にある社会 ↔	表にある社会
自然的秩序 ↔	人為的秩序
自然社会 ↔	人為社会
ゲマインシャフト ↔	ゲゼルシャフト
実在社会 ↔	公認社会
基礎社会 ↔	派生社会
……	……
人格相互の関係を通じた結合 ↔	制度や機構を通じた結合
非公式的・黙契的・自生社会 ↔	公式的・明示的・制度化社会

相互扶助は、この二重の社会のうち右の表の上の列の社会に存在しつづけてきたと考えられます。クロポトキンは、そうした社会における相互扶助の歴史を「未開人の相互扶助」「野蛮

人の相互扶助」「中世都市の相互扶助」（2章）「近代社会の相互扶助」（2章）の6章にわたってのべています。次に、それにもとづきながら、相互扶助の歴史の展開を見ていくことにします。

注

（21）以下のバーク、テンニース、プルードンらの社会観についての叙述は、大窪一志『自治社会の原像』（花伝社、二〇一四年）の第2章「実在社会の再発見」にもとづいています。典拠とした文献なども同書を参照してください。

二　相互扶助の歴史

霊長類社会から人類社会への移行における相互扶助
氏族共同体における〈血縁〉を通じた相互扶助
村落共同体における〈地縁〉を通じた相互扶助
ギルド・自由都市における〈業縁〉を通じた相互扶助
近代における〈選択縁〉を通じた相互扶助

Gegenseitige Hilfe in der Entwickelung
ドイツ語訳『相互扶助論』
（グスタフ・ランダウアー訳）

5　霊長類社会から人類社会への移行における相互扶助

樹上生活を送る霊長類の一種から草原で直立歩行しながら狩猟採集生活を送る人類に進化したとき、人類はばらばらな個体が集まった単なる「群れ」ではなく、個体が有機的に結びつきあった「社会」をつくりました。

近代政治学・国家論のもとになったホッブズの考え方では、人間は初めはばらばらな個体が相争いながら集合している「自然状態」state of nature（各人対万人の敵対状態）にありましたが、争いを防ぐために権力をつくり社会を形成して「社会状態」state of society に移行したとされています。

けれど、クロポトキンは、そうではなくて、人間も最初からおのずから集団をつくり、そこに秩序を生み出し、社会を形成したのだ、と人類学の研究などにもとづきながら、考えました。

すでに見たように、人間は動物の本能に根ざしていた相互扶助を人間どうしの関係において受け継いだ、とクロポトキンは考えていましたから、人間社会は最初から相互扶助社会として形成されたと考えています。

『相互扶助論』の続編の一つとして書かれた「自然の道徳」という論文では、その点で人間が動物からどんなことをどのように学んだのかをさまざまにのべています[22]。

旧石器時代・新石器時代の原始人は、特に氷河時代に雑食性になる前は、動物といっしょに、兄弟姉妹のように親密に暮らしていました。それは、現在のアフリカや東南アジアなどの未開の狩猟採集民がそうであることにも見てとることができます。彼らは、自分たちのまわりにいる鳥獣について、その生態をどんな動物学者や博物学者よりもよく知っています。原始人の場合は、現在の未開人以上に動物と親密だったと思われます。

そして、そうした動物たちの生態を見るなかから、弱い動物たちが強い肉食獣から身を守るために、どんなに団結の力、相互扶助と自己犠牲の精神を発揮しているか、そうしたことをしっかり見て記憶にとどめ、みずからの行動基準としてきたのです。

このように、私たちの祖先は、無数の動物たちが大家族や同類集団をつくり、相互扶助関係を結んでいるのを手本にして、自分たち相互の関係をつくりあげていったのです。

そこに人間社会の基があります。

ただ、その当時の人類学の所見では、人類は家族をつくらず種族 tribe をなして生活していたとされたので、クロポトキンもそう書いています。

しかし、日本の人類学者・今西錦司によると、かならずしもそうではなかったがゆえに、つまり個体がそのまま種族に集合していたのではなかったがゆえに、人間は有機的社会を創れたのだというのです[23]。

今西さんは、種社会 specia（スペーシア）の構成要素は世帯 oikia（オイキア）だったというのです。

樹上からオープンランドに出た人間、そのメスは二足歩行できない幼児を守って行動しなければなりませんでした。このことは、樹上生活とちがって、肉食動物に襲われる絶えざる危険に直面することを意味します。このとき、オスはメスに扶けの手を差し伸べて、メスと子供を守って行動しようとしました。そして、集団全体はそのオスに合わせて行動したのです。また、それと同時に、世帯は世帯だけで独立して行動するのではなく、世帯を全体に組み込むかたちで仲間たちに従ったのです。

こうして、個体同士が関係を持ち合い、そこからその種固有の生活の営みを形づくっていくのが人間社会の最初からのありかただったというのが今西さんの考え方でした。この両面、「群全体は扶けを必要とするものに合わせて、構成員個々は群全体に合わせて」という行動様式――それは「一人は万人のために、万人は一人のために」に通じます――こうした行動様式を通じて、相互扶助社会が形成されたのです。

そして、今西さんは、これを敷衍して、人間社会というのは、いやそれにとどまらず生物世界というのは、個の算術的総和が全体であるというかたちで「個」と「全体」という二元でできているものではなくて、個相互の結びつき（いまの例でいえば世帯 oikia がそれに当たります）を媒介にして個と全体が有機的に結びついている有機的全体なのだ、と考えました。これが今西さんの生物全体社会 holospecia（ホロスペーシア）の思想です。それはクロポトキンの思想に通じていたと僕は思います。

石器時代の洞窟絵画であるラスコーの洞窟壁画を見たことがありますが、そのとき強く印象づけられたのは、そこに描かれているバイソン、オーロックス（原牛）、オオツノシカ、サイなどの大型動物に対する旧石器時代人の強い畏敬と讃仰の念です。それらの動物は「聖なる動物」として崇められているように思われます。

その畏敬と讃仰の対象である聖なる動物を殺して食べた弱くみすぼらしい存在である人間は、殺害した動物に対する贖罪と、そうした贖罪を通した和解を願う儀礼、すなわち祭祀＝藝術行為をおこない、それを通して、その和解をなさしむる人

今西錦司

石器時代人は動物の群をよく観察し、沢山の壁画に残している
（ラスコー洞窟壁画から）

間を含んだ動物全体を統べている正義の秩序、さらには、その正義の秩序を成り立たしめている全自然を包括した「大いなる全体」の生命秩序への参入をおこなっていったのだと考えられています。

実際にクロポトキンは、「自然の道徳」のなかで、次のように書いています[24]。

自然のなかにあるそのほかの存在は、すべてたがいに親密になることができる社会性をもっているし、人間の考えることもこの回路を通しておこなわれる。社会性をもった生命――つまり「われ」ではなくて「われわれ」――は、原始の人間の目から見れば、生命の正常なかたちなのだ。それが生命そのものなのだ。

これは、有機的全体としての生物全体社会という思想と通じ合う自然観だと思います。

このようにして、人間は、動物社会を受け継いで人間社会を相互扶助社会として形づくったのだとクロポトキンはのべているのです。

これが人類社会誕生期の相互扶助のありかたです。

注

(22) クロポトキン「自然の道徳」、前掲・『相互扶助再論』所収。同書 p.95 以下の「人間は動物たちから学んだ」「定住と共同労働も動物から学んだ」「人間と動物の同胞関係」などの項を参照してください。

(23) 以下の今西錦司の人間社会形成論については、今西錦司「人間以前の社会」、『増補版　今西錦司全集』第五巻（講談社、一九九四年）、同『人類の誕生』（講談社、一九六八年）を参照してください。

(24) 前掲・『相互扶助再論』p.108

6　氏族共同体における〈血縁〉を通じた相互扶助

今西錦司さんがいうように、世帯 oikia を媒介にしていたからこそ種族 tribe の相互扶助社会ができたと考えるならば、世帯が発展してできた家族が、個体と全体を媒介するものとなっていったのは自然なことです。

そして、次第に大きくなっていった種族社会は、家族の血縁を媒介にして、氏族 clan : gens すなわち祖先を同じくする集団によって構成される相互扶助社会に変わっていったわけなのです。

『相互扶助論』では、旧い氏族共同体の習俗、生活様式をいまも遺しているとされる未開社会、オーストラリアのアボリジニ、極北地帯のイヌイット（エスキモーと呼ばれていた人たち）やアレウト、アフリカのホッテントットやブッシュマン、コーカサスやボルネオの山地民などの実例から、その相互扶助のありかたを具体的に描いています。

たとえば、

「協同で狩猟をして争論なしに獲物の分配をしている」

「負傷した仲間をどんな場合でも決して見捨てない」

「何か食べ物を得たら居合わせた人すべての人達と分配する」

「誰もいないところで食べ物を得たら、かならず三度呼びかけてから食べる」

など、暗黙のうちに合意されている相互扶助の約束事が強制や制裁なしに守られているのです。

そして、それを観察した先進国の学者が、「彼等は確かに、地球上もっとも友愛な、もっとも自由な、そしてお互いの間にもっとも深切な人民である」とのべたという証言を紹介しています。

あるいは、こんな話が記録されています。

アレウト人(25)の間で十年間暮らしながら活動していたロシア人宣教師が、しばらくのあいだ母国に帰るとき、贈り物として一尾の干魚をもらったのですが、それを置き忘れていってしまいました。宣教師がふたたびもどってきたとき、その干魚は、そのまま残されていました。彼がいない間に二ヶ月にわたって大飢饉が襲ったにもかかわらず、その魚に手をつけることがなかったのです。

トルストイの「イワンのばか」や「人はなんで生きるか」のような話ですが、実話です。

もっとも、そういう美しい側面だけではありません。未開の氏族社会は、その一方で、悲しい側面も持ち合わせていました。

クロポトキンは、絶対的な不足の下でおこなわれる老人の自発的退去、共同体にとっては遺棄を、記録しています。

日本では姥捨て山の伝説・民話として遺されていますが、この場合、棄老は殿様の命令でおこなわれたというような形を採っています。しかし、実際には、あるいはもともとはそのような権力によるものではなく、共同体の合意のもとにおこなわれていたのではないかと思われます。

アレウト人（19 世紀に描かれたもの）

クロポトキンは、こうした行為をアレウト人の例に見られるような高い道義と背反しないものとしてとらえています。絶対的不足のもとでおこなわれる棄老は、棄てる者にとっても棄てられる者にとっても、同胞に対する愛情と共感を基盤にしておこなわれている行為なのであり、絶対的不足という状況の下では、義務も強制もなくおこなわれる最善の友愛行為なのであるとクロポトキンはとらえています。

この棄老という問題については、京都フォーラムの討論の場でも、疑問と意見が出され、討論がなされました。それをふまえて、そのときにのべた意見にもとづきながら、僕の考えをのべておくことにします。

これは、前に述べた「個体の生命維持」と「種の繁殖」との関係につながる問題です。また相互扶助と自己犠牲の関連にも関わる問題です。クロポトキンは、個体の生命維持と全体の存続、相互扶助と自己犠牲を切り離してとらえるのではなく、この二つが一体となった精神を問題にしているのです。それが一体になってこそ相互扶助は生きるのだというふうにとらえられているのです。

そこには、前にふれた「社会性をもった生命」というかたちでの有機的な生物全体社会への生命の融合という考え方があります。また、個体生命と全体生命を切り離すとらえかた、「各人のため」と「万人のため」を切り離すとらえかたに対する根本的な批判があります。

現在の先進国社会では、「国家にぶら下がって生きていこうとする弱者」を蔑視し排撃しようとする人たちと、「弱者すべてを面倒みようとしない政府」を批判し忌避しようとする人たちとが対立し、その対立がますます激化していっています。そのもとには「各人のため」と

「万人のため」とを切り離した社会・国家体制がかかえている根本的問題点があります。

未開人の棄老行為を非難するヨーロッパ人に対して、クロポトキンは、次のように言っています。[26]

この同じヨーロッパ人が未開人の一人に向って、ヨーロッパでは、自分の子供に慈悲深いそして他人にはごく親切な、そして舞台の上で真似事の不幸事を見ても泣くほどに多感な人々が、ただ食物のないばかりに子供が死ぬ貧民窟から、石を投げれば届くほどの手近に住まっていると語ったなら、その未開人はこの言葉を理解することができないに違いない。


ここに近代人の盲点があります。この点において、近代社会は、「万人のために」おこなうべきことを国家に託して、「各人のために」おこなうことを各人の自由にするという分離をおこない、それを原理とした社会と国家を成立させました。そして、その結果、社会そのものは原理的には個体の集合という無機的な「群」状態にもどってしまい、共同集団を基礎にした有機的な結合体という性格を失ってしまったのです。

そのため、社会問題が解決しないのは、「万人のため」の国家がその義務を果たさないからだという人たちと、「各人のため」にある社会の自由を認めようとしないからだという人たちとに社会が分裂してしまっているのです。

このようにして、近代社会では、「万人のための国家」と「各人のための社会」という分離をすることによって、相互扶助を「不要」なものにしてしまったわけです。

かつての氏族社会、現在の未開社会は、家族という結合体、その拡張形態としての氏族という結合体を通じて、「各人のために」と「万人のために」を結びつける相互扶助を組織することができていたのです。

そして、近代社会でも、そのような分裂のもとでは生きた社会は保っていけないので、いまだに相互扶助は社会の底では働いており、災害や非常の場合のようにそれが必要とされるときには生き還って表に出てくるのです。

注

(25) アラスカとカムチャツカの間にあるアリューシャン列島の先住民族。

(26) 前掲・『相互扶助論』p.126

7　村落共同体における〈地縁〉を通じた相互扶助

クロポトキンは、ヨーロッパ大陸における「自然社会＝共同社会＝実在社会＝基礎社会」の歴史的展開を通じて相互扶助の歴史をたどっているので、その観点から、氏族共同体の崩壊を、西暦三〇〇年から七〇〇年代にかけて、ヨーロッパで起こった民族大移動によって説明しています。

この時代にユーラシア大陸を席巻した乾燥作用によって気候が大きく変わり、フン族など東方遊牧民族が西方に移動してきました。そして、これに押された北方ゲルマン民族が、人口増加による土地の欠乏も加わって、南方に移動していきました。こうして、大陸全域で民族の大移動がおこなわれたのです。ゲルマン民族はそれぞれの部族をあげて固有の組織・制度をまるごと維持したまま移動をくりかえし、ヨーロッパ大陸のいたるところに進出したので、その浸透によって、それまでそこに成立していた氏族社会は内部から分解していくことになりました。

哲学者のカール・ヤスパースは、『歴史の起源と目標』のなかで、この遊牧民族の移動と侵入によって、それまでの安定した、社会的拘束力の強い、個人の意識がまだ微睡《まどろ》んでいる社会が大きく揺さぶられ、精神の破開 Drüchbrucht des Geistes が起こったとのべています。そして、このようにして精神のありかたが変わることを通じて、この時期に、世界各地にほとんど同時に、ユダヤ＝キリスト教、仏教といった普遍宗教やその元が生まれ、「枢軸時代」Achsenzeit が形成された、とヤスパースはいっています[27]。こうして、精神の基盤のところから人々の共同様式が変わっていったのです。

氏族の分解によって枠を外された家族は分散していきますが、そのうち強い家族が独立して移動地に定住するようになり、そこに共同して「領土」を築いた人々が、氏族社会における「共同祖先にもとづく結合」に代わって「共同領土にもとづく結合」を通じて共同生活を営むようになりました。それが村落共同体 village community です。

クロポトキンは、次のようにのべています[28]。

　氏族の組織が、内からは戸別的家族によって襲われ、外からは移住して行く氏族の離散と祖先を異にする外来人を収容するの必要とによって襲われた時、領土的観念を基礎とした村落共同体が出現した。……〔この共同体は〕生存競争に倒れてしまうに違いない戸別的家族を分裂させずに、歴史の中のもっとも混乱したこの時期を無事に通過させたのである。

このようにして、「血縁を通じた氏族共同体」から「地縁を通じた村落共同体」へと「自然社会＝共同社会＝実在社会＝基礎社会」の実体が変わっていったのです。

村落共同体については、たとえばモンゴル・ブリヤートの現在の共同体が、かつての村落共同体の姿を再現する良いモデルを提供しているといいます。

そこでは、複合家族 joint family(29)が形成されていて、その構成員が家畜と家畜飼育場を共有し、共同で仕事をします。いくつかの複合家族と少数の独立小家族が連合して村落共同体を形成しています。そして、数個の村落共同体が集まって部族 tribe を形成し、数十の部族が集まって領域連合を形成しています。

この村落共同体においては、氏族共同体に比べて、家族の独立性が高まり、家族内部の私事に共同体が干渉する権利が奪われました。それは、個人の自由をより拡大するものでもありました。農業を営んでいる場合、耕地の主要な部分は家族が私的に占有していますが、それを支えるのに不可欠な土地については共有にし、それを基盤に共同体が成立していました。

そして、私的所有が認められていた領域においても、困窮した家族を扶助する慣習が広くおこなわれていました。クロポトキンは、そのひとつとして、現在のコーカサスのオセット人の間に遺っている慣習を挙げています。それによると、「郭公鳥が啼いて、春の来たことと牧草場がやがて再び若草で覆われることを告げ知らせると、誰でも乾草の無いものは、隣人の堆草から自分の家畜に要するだけの堆草を取る権利がある」というのです[30]。

ここにおいて確立されていた家族と個人の独立性と自由は、共同体の全体性が前提になった独立性と自由であり、同時に家族の意思が結合された共同体の意思である点は氏族共同体と変わりませんでした。つまり、個と全体との関係を統べる論理は基本的に継承されていた、ということです。

この両面、共同体の全体性と家族の自由意思とを両立させる要は「民会」にありました。民会は共同体すべての構成員の意志を結集する場でした。ですから、「司法上、軍事上、教育上、もしくは経済上の諸風習は……民会の同意がなければ変更することができなかった」し、そのようなものである民会を中心とすることによって村落共同体は「それ自身が一個の世界」であり、「universitas（宇宙）」であったのだ、とクロポトキンはのべています[31]。

ロシア・ブスコフの民会
（アポリナリー・ヴァスネツォフ画　1909 年）

そして、国家の法律は恣意的に制定され、恣意的に運用されることが多かったのですが、民会を通じて確立された慣習法は、今日なおも昔のままに残っています。

これが、〈血縁〉にもとづく氏族社会の共同体に続く、〈地縁〉にもとづく村落共同体における相互扶助のありかたでした。

注

(27) カール・ヤスパース〔重田英世訳〕『歴史の起源と目標』(ヤスパース選集第九巻、理想社、一九六四年)第一章「枢軸時代」

(28) 前掲・『相互扶助論』pp.169~170

(29) 複合家族とは、一子相続のかたちを採らず子供すべての家族が同居して同一の家業に従事する家族形態のことです。

(30) 前掲・『相互扶助論』p.150

(31) 同前 p.148

8　ギルド・自由都市における〈業縁〉を通じた相互扶助

中世になると、相互扶助の共同体は、基本的に農業と牧畜にもとづく村落共同体だけではなく、ありとあらゆる職業の間に発達してくるようになります。『相互扶助論』では、次のような職業の同業組合＝相互扶助共同体が挙げられています。

商人、工匠、手工業者、猟師、農夫、農奴、僧侶、画家、学校教師、大学教授、乞食、死刑執行人……

乞食や死刑執行人の同業組合まであったのです。

狩猟や漁撈、貿易のための遠征などで隊を組むときとか、教会堂を建設するためとか宗教劇を上演するときとかなどに集まったジョイント・ベンチャーも同業組合方式でおこなわれました。

船中のギルドのように、航海中の乗組員と乗客からなるギルドも建てられました。たとえばハンザ同盟の船舶が出港するときには、船長が船員と旅客全員を集めて宣告します。

中世ヨーロッパの手工業者

「われわれはいま神と浪との侭《まま》にある。われわれはすべて平等でなければならない。……われわれは、われわれの航海を無事に果たすためには、厳格な秩序を保たなければならない」

そして、裁判官と陪審員を選出して、航海中の自己統治秩序をみずから定めるのです[32]。

このように、人々がある目的のために集い合うところでは、随所で構成員全員による自己統治が確立されようとしたのです。

こうした相互扶助団体は、〈血縁〉でも〈地縁〉でもなく、基本的には職業を通じた結合――これを〈業縁〉と呼んでおきます――にもとづいていました。

これらの同業組合＝ギルドは、独立した裁判権をもち、したがって独立した行政権も、全面的なものではないけれども、もっていたといっていいと思います。それは、一つの政府を全員で形成した小社会なのです。全員で形成する統治ですから政府 government ではないといえるかもしれませんので、「government 無き governance」（支配無き統治）としての self-government（自己統治）が成立していたというべきでしょうか。

中世社会は、こうした小社会の集積から成り立っていたのです。こうした個々の相互扶助共同体は「個人の発意による行動を妨げないで、しかも団体の要求を充分に満たせる制度」であったとクロポトキンはいっています[33]。

しかし、それに続けて、「ただ一つの困難は、村落共同体の結合を妨げることなしに、同業組合の連合を形づくり、そして同時にそれらの村落共同体のすべてを連合して一個の調和した全体とすることのできるような様式を発見することであった」と付け加えています。

これは、クロポトキンが学んだプルードンも痛感していたことです。

そして、困難とされたこの連合を形づくったのが自由都市だったのです。自由都市は、領主権力からの特権状を獲得することによって、同業組合・村落共同体の連合をコムミューン commune として確立したのです。

自由都市は、そこに一年と一日住めば自由身分になると定められていましたので、「都市の空気は自由にする」Stadtluft macht frei. といわれました。しかし、それは特定の職能集団などの団体の構成員になる自由であって、何ものにも拘束されない自由というわけではありません。けれど、その集団が自治によって運営され、その自治連合が裁判権や行政権を行使できるようになるなら、それは個人の自由を意味することにつながります。

中世の自由都市レーゲンスブルク Regensburg

こうしたコムミューンは、一〇七〇年に成立したフランスのル・マンやカンブレーのコムミューンをはじめとして、イタリアの諸都市のコムーネ comune、スペインのコムンcomún、ドイツ・北ヨーロッパのコムーネ Kommune など、ヨーロッパの広い地域に成立しました。

クロポトキンは、「中世都市は二重の連合体として現れた。すなわち街とか教区とか市区とかいう領土的〈領域的〉団結を組織したすべての戸主の連合であると同時に、また各々その職業によって同業組合を結んだ各個人の連合である」といっています[34]。

つまり、中世都市における領域的結合は〈地縁〉を通じた村落共同体を受け継ぎ、個人的結合は〈業縁〉を通じて新しく生まれたものだったのです。

独立裁判権と独立行政権をもつ相互扶助団体連合としてのコムミューンは国家の「自治的」な一部分にすぎないものではなかったと考えるクロポトキンは、「コムミューンそれ自身が国家であった」としていますが、実際に一八七一年のパリ・コムミューンは、直接選挙によって政府を組織しましたから、まさに一つの国家であったといえます。

パリではそれ以前から何度か、そうしたコムミューンが形成されていたのです。たとえば、一五八九年にパリに起こった革命は都市自治区の連合を通しておこなわれ、その政府はパリ・コムミューンと呼ばれましたし、一七八九年フランス革命のときも、パリでは同じように都市自治区連合がパリ・コムミューンを政府として成立させたのです。

このように、中世自由都市に起源をもつコムミューン型自己統治は、近代にいたるまでその生命を維持していたのです。けれど、それは特定の都市にしか広がることができませんでした。それは、都市のレヴェルを超えた広域の自治政府を打ち立てることはできませんでした。それは、中世の身分制秩序がもっていた限界ということができるでしょう。

ですから、クロポトキンは、中世都市の相互扶助についての叙述を、次のようなことばで終えているのです(35)。

相互扶助と相互支持との潮流は、民衆の間にまったく枯れてしまったのではなかった。……この潮流は今日でもまだ流れている。そして今日の国家でもなく、中世の都市でもなく、野蛮人《バルバロイ》の村落共同体でもなく、また未開人の氏族《クラン》でもない、しかしこれらのすべてのものから出て、さらに優れたもっと深いもっと広い人道的観念を持った、ある新しい表現を求めている。

その「新しい表現」は、いまもなお求めつづけられています。

注

(32) 前掲・『相互扶助論』pp.186~187
(33) 同前 p.193
(34) 同前 p.197
(35) 同前 pp.233~234

9　近代における〈選択縁〉を通じた相互扶助

フランス革命に始まる近代革命は、国家と市民社会を別の原理で――国家は平等原理の民主主義で、市民社会は自由原理の自由放任で――組織していきました。これは、社会のあらゆる分野、あらゆる領域ごとに、その単位内部での自由と平等を結びつけた自己統治秩序をつくっていた中世社会のありかたと真っ向から対立するものでした。

したがって、近代の政治権力は、その対立のなかで、権利の平等を阻害するとして、また自由の障壁になるとして、地域ごと・職業ごとにそれぞれ異質な基準で個人がまとまって自立した単位をつくっている状態を打破していったのです。

村落共同体も自由都市も民会・裁判権・行政権を破壊され、同業組合は自由を奪われて国家の監督のもとに置かれました。

それは自律した個人が自由にふるまえば、神の見えざる手によって調和が形づくられるというレッセ・フェール、レッセ・パッセ laissez-faire laissez-passer（「為すに任せよ、行くに任せよ」

すなわち自由放任）の思想にもとづくものでした。これが近代社会組織の思想的原点です。

そして、それまでこれらの団体を通じておこなわれていた扶助は国家が社会政策としておこなうということになっていったわけです。国家がそれを保障するから、市民社会においては、各個人が自由に自己の利益を追求してかまわないというわけです。

これがクロポトキンのいう「一人は万人のために、万人は一人のために」から「各人は自己のために、国家は万人のために」への転換の中身です。困っている人の救済を具体的で人格的な相互扶助から抽象的で非人格的な国家施策へと変質させてしまったのです。

クロポトキンは、こういっています(36)。

国家があらゆる社会的機能を吸収してしまったことは、必然に、放縦なそして偏狭な個人主義の発達を助けた。人民は、国家に対する義務の数が増して行くに従って、明らかに人民同士の間の義務を免れた。

……

かくして今日では、人は他人の欲望の如何にかかわらず自己の幸福を求めることができまた求めなければならないものであるという理論が、どこにでも……勝利を占めている。これが今日の宗教である。

こうした状況に直面しながら、中世に生まれた〈業縁〉による個人の連合を発展させることによって近代における相互扶助連合を組織しようする動きが一方にありました。初期社会主義の思想は、サンディカリズム sandicalism にしてもコーペラティズム cooperatism にしてもトレードユニオニズム trade unionism にしてもギルドソシアリズム guild socialism にしても、それを追求したものだったのです。それは、クロポトキンのいう「相互扶助社会の新しい表現」の追求だったのです。

そして、「新しい表現」は実現されなかったとはいえ、相互扶助関係を圧しつぶすようにしてつくられたゲゼルシャフト＝人為社会＝公認社会のなかにあっても、まだゲマインシャフト＝自然社会＝実在社会は、圧迫に耐えて生きていたのです。

村落共同体は破壊されましたが、農村の生活のなかには、かつての共同体の習俗と慣習がいたるところに生きていました。共同労働や互酬関係も生きていました。

自由都市の自由は奪われましたが、都市の街区ごと、教区ごとの住民組織は生きていました。同業組合＝ギルドは国家の監督のもとにおかれましたが、それに代わってさまざまな労働組織が生まれました。

近代になってから新たにつくられた組織としては、労働組合は、初期のうちは、いまのよう

労働者の消費組合・ロッチデール先駆者協同組合の創始者たち（1844年開設）

に賃金と労働条件をよくするためだけの組織ではなく、労働者の間での相互扶助組織の性格をもつものでしたし、農民の協同組合、労働者の消費組合も相互扶助を目的とする組織でした。また、社会的、経済的、文化的、芸術的などさまざまな目的で結合したボランタリーなクラブやアソシエーションも自助・互助の機能を果たしています。

これらの協同組織が、中世のように団体としての特権によってではなく、個人の自由に立脚して活動しているわけで、そこでは個人の自立と組織の協同が統一されようとしているのです。これまでの相互扶助社会における結びつきは〈血縁〉〈地縁〉といった自然的な紐帯、〈業縁〉という自然的ではないけれど必ずしも自由な選択とはいえない紐帯によるものでした。それに対して、新たにつくられようとしているのは、自由な選択による紐帯です。紐帯というのは一種の縁だとするなら、それは〈選択縁〉というものだといえましょう。

クロポトキンは、近代社会におけるこれらの潜在的な相互扶助団体を、地域的結合（コムミューン）・職業的結合（労働組織）・機能的結合（各種のボランタリーな組織）の三種類に統合し、それらがたがいに「自由な協約」によって連合する展望を描いています。(37)

＊

以上でたどってきたこれまでの相互扶助の歴史をふりかえってみましょう。

「自然社会＝共同社会＝実在社会＝基礎社会」における相互扶助の結びつきは、〈血縁〉〈地縁〉〈業縁〉〈選択縁〉と変化してきたわけですが、そこには、相互扶助の単位が次第に小さくなり多様になってきていること、また自然的・非選択的な性格のもの（kinship）から人為的・選択的な性格のもの（contract）へと変化していることが見て取れます。

しかし、そうではあっても、たとえば職業という選択的なものでも、生まれた家族や生まれた地域といった非選択的なものに規定されているという面もあるし、また選択的に形成された職業集団や企業が、その結合を「縁」として自然社会の性格を帯びてくる場合も――特に日本的企業と呼ばれたものなどでは――あるわけです。

つまり、ここでも、常に自然的なものと人為的なもの、共同社会的なものと利益社会的なものは二重になっていると見るべきでしょう。したがって、近代においても、相互扶助関係を大きく甦らせていくことは可能なのです。クロポトキンもそう見ています。
それでは、その甦りのためには何が必要とされるのか、クロポトキンの考え方をふまえながら、僕たち自身の課題として、考えていきたいと思います。

注

(36) 前掲・『相互扶助論』pp.239~240
(37) 前掲・『ある革命家の手記』下(岩波書店、一九七九年) pp.209~210

三　相互扶助の実践

意識を通じて「無意識の良心」を育む
個と全体が相補い合う関係をつくる
相互扶助ができる場をつくる
相互扶助の場が連合する
相互扶助と競争を両立させる
相互扶助は義務も強制もないモラルである

書斎のクロポトキン

10　意識を通じて「無意識の良心」を育む

相互扶助を甦らせるには、どうしたらいいか。それには、なによりも、人間にとってのnature――人間にとって自然であり本性であるもの――にもどることが必要とされます。しかし、そのためには、それを阻んでいる意識の壁を壊さなくてはなりません。それは意識の変革であり、意識の次元での問題になります。

ですから、「意識を通じて無意識を育む」というやりかたが必要とされることになるわけです。それは、意識の壁を崩すことを通じて無意識を育むための意識の活動ということになり、いわば「自然生成させるための人為工作」ということになります。

しかし、この無意識を育むという意識の活動は、近代的自我という意識の主体が目的に向けて組み立てる「企て」の力によるものではありません。

そうではなくて、動物の相互扶助と共通する「生命の自然な秩序形成力」を回復する活動ですから、それは人間の生命の本源に帰る訓練であり、「内に向かう野生の再開発」ともいえるものとなります。

クロポトキンは宗教がその役割を果たしていることを認めながらも、それに代わって、宗教より高きものとして「高度な倫理」を考えていました。クロポトキンの倫理観についてはのちにあらためてふれますが、最晩年に書いていて未完のまま終わった『倫理学』では、倫理学史をふりかえっています。そのなかで非常に注目しているのは、コント、ダーウィン、スペンサーという倫理学者ではない人たちばかりで、そこに共通しているのは「自然と社会の進化」という問題であり、そこに浮かび上がってくる人間にとって本来的な生き方とはどういうものなのかという問題でした。

クロポトキンがのりこえなくてはならないとしている宗教については、京都フォーラムの討論のなかでもそういう意見が出されましたし、僕自身もそう考えているのですが、宗教こそが「無意識の良心」を育むことができるのではないかと思われます。しかし、クロポトキンが宗教ではだめだと思った理由もわかる気がします。

前にふれたように、ロシアの公認宗教だったロシア正教は、九八八年という遅い時期に、皇帝の改宗にともなって、半ば強制的に民衆に押しつけられたもので、民衆の信仰に根づいたものとは言いがたかったのです。そのような宗教を通じては、人間の本来的な生き方に目覚めることはできないとクロポトキンは考えたのです。このような意味で宗教ではだめだと考えたのであって、既成宗教・公認宗教を否定してはいても、宗教そのものと敵対していたわけではありません。それは、彼がキリスト教の所謂分離派 Raskolniki やドゥホボール教徒 Doukhobor などは評価していたことからもわかります。

意識の壁を崩して無意識のなかに根をもっている精神を甦らせていくには、固くなっている意識を耕して、根から芽が出てくるようにする必要があります。そのためには意識を「ほぐす」作業を系統的にやらなければなりません。さっきいった「人間の生命の本源に帰る訓練」の最初は、この「意識をほぐす作業」だと思います。

その訓練、作業は、どのようにおこなわれるのでしょうか。

村落共同体において、家族と個人の独立性と自由は、共同体の全体性が前提になった独立性と自由であり、同時に家族の意思が結合された共同体の意思であるという関係になっていた、とのべました。これは、個の自由においても全体の統合においても、現代とは異なるものでしたが、個と全体の相補という問題の在り処は同じです。

そして、この両面、つまり村落共同体の全体性と家族と個人の自由意思とを両立させる要は「民会」にあったのです。日本でも中世・近世の村落共同体は全員参加・完全合意制の「寄合《よりあい》」が「村掟《むらおきて》」を決定し、それにもとづく自治をおこなっていました。国家の制定法ではなく、村落の慣習法が、個々人の利害＝関心と全体の秩序とを調整して、そこに相互扶助関係を成り立たせていたのです。

これは、現代においてもあてはまるのではないでしょうか。

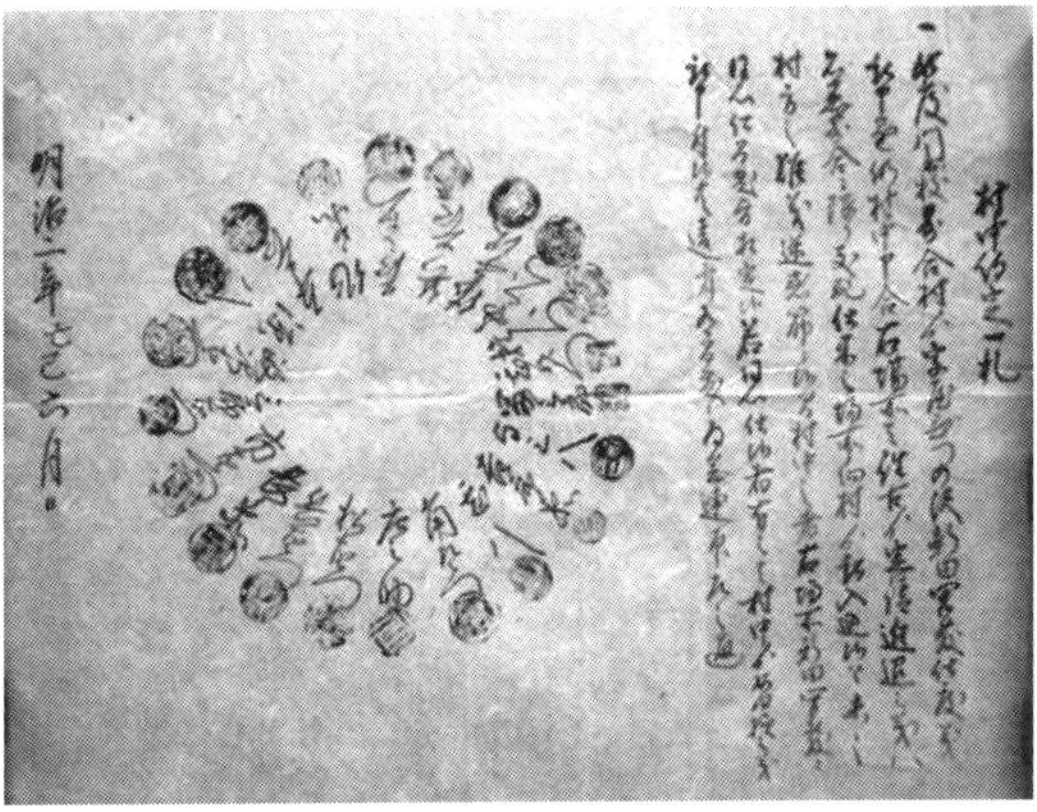

新潟県石黒村の寄合で全員一致で取り決められた「村中約定一札」　円をなして署名がされている

民俗学者の宮本常一さんによりますと、第二次大戦後になってからも、農山漁村の集落の部落会・常会などと呼ばれた会合は、全部ではありませんが、全員参加・全員一致を原則に開かれていたようです。そして、結論が出るまで何時間でも何度でも会合を重ねたということです。四〇〇年以上前から続いていた対馬の四ヵ浦総代会について、詳しく取材した宮本さんは、このようにして「村の伝承に支えられながら自治が成り立っていたのである」と書いています[38]。

僕は一九七〇年代から八〇年代に協同組合運動に参加し、生活協同組合や農業協同組合と接し活動もしてきましたが、この協同組合のなかで相互扶助関係をつくりあげていくうえでも、組合の基礎組織である「班」や専門組織である委員会での討議と合意形成の積み重ねが要になることを痛感しました。

生協では、一九七三年と七九年の二度にわたるオイルショックを契機に、大量生産・大量消費の生活様式を転換するために「くらしの見直し」という運動がおこなわれました。このときには、たとえば生協で供給している納豆に「たれ」をつけるべきか、各家庭で調味すべきかというような小さな問題も、便利な商品によって生活が合理化され自由になっていくことと、生活が外部依存していくことによって疎外されていくことと、その両面の関係をどう考えるかという問題として話し合い、検討しあっていきました。

そこには、もちろん意見の違いや対立、それも生活観や家庭観にわたる食い違いなどがあったことでしょう。でも、そうであるからこそ、何度も違いを埋め合い、対立をのりこえて到達した合意は、どこかからあたえられたものではなく、自分たち自身で選んだものです。外からもたらされた解決ではなく、内から生まれた合意です。

そういうなかで、自律した生活をつくりあげていこうとすると、協同した生活を創っていく必要が明らかになってくるという「自律と協同は表裏一体」の考え方が次第に広まり固まっていきました。それは、実に長い時間とさまざまな試行を経て、相互扶助の精神が生まれ、定着していく過程でした。

情報組織論が専門の金子郁容さんは、生活協同組合員組織のような自発的に選択して参加する水平的な組織を「参加型ネットワーク」と呼んで、そういう組織においては、討論や試行を通じて何度も何度もコンフリクト（軋轢・葛藤）を経験し、それをのりこえていくうちに、「暗黙の合意」が働くようになり、そうなると、「何か即座に対応することが求められる予定外の事態が生じたとき、その場に居合わせたメンバーが適宜に判断して素早い行動が取れたり、些細なことはいちいち全体に諮らずに即座に処理できることになる」とのべています[39]。そして、それは「ネットワークのメンバー間でコンフリクトを乗り越えようと対立と調整を繰り返すうちに、いつしかネットワークに『敏捷性』が生まれる」からだというのです[40]。

このことは、生協組織でも実証されました。

一九九五年の阪神淡路大震災のとき、神戸へ向かう流通網が途絶して、スーパーマーケットなどは本部の司令待ちで販売が再開できない状態でした。そのとき、コープ神戸が地域に展開していたミニコープという小型店では、そこでパートタイマーとして働いていた地域の生協組合員が、本部の指示を待たず自主的な判断で、ただちに在庫商品を被災世帯に供給しはじめました。また、すぐに活動することができる生協職員は、これも本部の指示によらず、ただちにチームを作って神戸港に到着しはじめた救援物資を各地域のミニコープに輸送する作業を始めました。その際の供給のしかた、商品の扱い、代金の扱いなどは、それぞれの現場において合意の上で決定されました。

生協組織には、相互扶助組織として暗黙の合意にもとづいてすぐ行動できる敏捷性がそなわっていたのです。そうした人間的な自然、人間の本性にもどることができるまでに、いわば「意識がほぐされていた」のです。

相互扶助精神を阻んでいる意識の壁は、こうやって崩されていくのです。

哲学者のアリストテレスは、行為を集団的に積み重ねることによって善い霊魂 anima すなわち精神が定着することをエートス ethos と呼びました。村落共同体の寄合やネットワーク組織の討論と試行は、そのようなエートスをつくっていったのです。そして、こうしたエートスの形成こそが、意識――意識的な討論や試行――を通じて意識の壁を崩し「無意識の良心」を育むことにほかならないのです。

そうしたものをつくるには、時間がかかりますが、いったん暗黙の合意が形成されれば、その集団や組織には動物の反射神経のような瞬発力が生まれるのです。そして、それはあたかも集団の本能であるかのように働くことになるのです。

そのためには、集団や組織が、結果のみを求めるものになって、日頃おこなっていることが単なる手段になっていてはだめなのです。結果として現れる目的実現とともに、それを実現していく過程が、ある意味ではもっと大事なのです。その過程を単なる手段として目的と切り離してはならないのです。目的を過程に内在させ、過程を目的と一体のものとする、そういう営みにおいてこそ精神は育まれるのです。

近代になってからのさまざまな営みにおいて、僕たちは、一貫して「意識を高める」ことばかりに熱心に取り組んできました。高い意識をもった人間になることに腐心してきたのではないでしょうか。

しかし、いま必要とされているのは、「意識を低める」ことなのです。意識の水準を低くして、意識が生まれてきた根源に帰ってみることなのです。そうすれば、そこに僕らをおたがいに安らかにしてくれる共通の紐帯が見出されるにちがいないのです。クロポトキンの『相互扶助論』は、そうすることを呼びかけているのです。

注

(38) 宮本常一「対馬にて」、宮本常一著作集第一〇巻（未来社、一九七一年）
(39) 金子郁容『ネットワーキングへの招待』（中央公論社、一九八六年）pp.34~35
(40) 同前 p.39

11　個と全体が相補い合う関係をつくる

「意識を通じて無意識の良心を育む」という矛盾した課題についてのべましたが、現在の社会のなかで相互扶助社会を再生するためには、「自己の自由を通じて他者の自由を拡大する」という、これまた矛盾した課題を果たさなければならないように思われます。

というのは、これまでの論述で見てきたように、人間の歴史の展開につれて、相互扶助のための結びつきは、次第に単位が小さくなり多様なものとなってきており、ついには個人にまで分解されてしまったからです。

そういう状況の下では、いまや相互扶助を実現するうえで、個人にとっての自由と平等、ひいては個人主義というものをどう考えるかという問題を避けては通れないのです。かつては個人主義と相互扶助は背反するもののようにとらえられていました。しかし、そういうとらえかたでは、近代社会を相互扶助社会につくりかえていくことはできません。

公認社会が原子的な個人を単位にするものにまで分解されてしまった近代社会においては、

個人が「選択縁による相互扶助」をつくりだしていくしかありません。つまり、各々の個人が自発的に仲間を選んで相互扶助の関係を結び、そこに、「自己のためにこそ他者のために働く」「他者のために働くことを通じて自己を充たす」という関係をつくりだしていく――それが「選択縁による相互扶助」というものなのです。

そのことを考えますと、この点では、「個と全体の相補性」という考え方を採ることが大事なように思われます。個と全体が相補い合う関係ということです。

相補い合う関係の一面は、「個人はみずからのインタレスト（利害＝関心）を仲間との関係を通じて全体の秩序形成のなかで追求することによってこそ自由になりうる」ということです。このときの「インタレスト（利害＝関心）」というのは、近代的個人主義における私的所有と経済的利害にまとわりつかれた狭い意味のものではなく、もっと広い意味での利害と関心です。

相補い合う関係のもう一面は、「個人が自由に思考し行動することができる領域が全体秩序のなかに存在して、その領域によって全体が構成されていてこそ有機的な秩序ができる」ということです。

この両面が同時に成り立つことによって、相補い合う関係が成り立たなければならないのです。しかし、近代の個人主義に従っているかぎりは、このような個と全体の相補関係を実現することはできません。それは、前に見たように、近代の個人主義が「一人は万人のために、万人は一人のために」ではなくて「各人は自己のために、国家は万人のために」という原則の上に立っているからです。

それでは、個の自由を前提にした関係でありながら、それが全体と相補いあうような関係に立つことができるような「個人主義」というものはありうるのでしょうか。

ドイツの社会学者ゲオルク・ジンメルは、一九〇八年に書かれた『社会学』で、「量的個人主義」と「質的個人主義」の二つの個人主義を区別しています。(41)

「量的個人主義」というのは、ジンメルのいっていることを要約しますと、一八世紀ヨーロッパの啓蒙主義がとらえた個人像で、人間にとって普遍的なものである理性を分有しているものとして個人をとらえる見方です。そこで尊重されているのは、個々の個人ではなく、人類がもっている理性です。それを分けもっているから個人は尊いとされるのです。

そのような性格をもった個人主義ですから、ジンメルはこれを具体的な個人ではなく抽象的な個人を尊重するという意味で「抽象的個人主義」であり、人類全体を単位に分割したにすぎない「単位存在 Einzelheit の個人主義」であると規定しています。それは、具体的な個人が同一性においてとらえられる個人主義ですから、平等な個人主義となり、同質者の勢揃いに通じるものとなります。このような意味で、「量的個人主義」は、近代の個人主義と重なるものといえるでしょう。

これに対して、「質的個人主義」というのは、ジンメルによれば、一九世紀のロマン主義がとらえた個人像で、一人ひとりがもつ個性にこそ有機的全体がこもっている、だから個人はかけがえがないし、そうであるがゆえに尊いというとらえかたです。「量的個人主義」が人類から出発し、人類の分割として個人をとらえるのに対して、個々人から出発し、個々人の内から全体が出てくるという反対のとらえかたをしています。

これは、ひとりひとりの具体的な個人を尊重するものですから、「具体的な個人主義」であり、「唯一存在 Einzigkeit の個人主義」だとされています。そして、差異においてとらえられる個人主義ですから、平等とは両立しませんが、ひとりひとりが差異において尊重されますから、場において対等であるとされます。したがって、場において出会った異質者がおたがいに結びつく個人主義、異質者による場の共有に通ずる個人主義、そこにおいて個と全体が相補関係に立つことができる個人主義であるといえます。そして、実はこれは中世社会における個人のありかただったのです。

Georg Simmel

個人主義というのは近代において成立したもので、中世においては個人は集団に埋没していたと考える人が多いようですが、そうではありません。多くの中世学者が中世社会のなかで個人というものが生まれたと考えています。

たとえば、中世史学者のウォルター・ウルマンは、封建制は、個人を人格としてとらえて、人格と人格との間の契約を通じて個人を社会的に確立したのだと考えています。その観点から見ると、国家という枠でとらえると受動的な「臣民」にすぎなかった人たちが村落共同体や自由都市という枠においては自治的に結合した「個人」であったのだ、としています。[42]

また、やはり中世史学者であるジョン・B・モラルは、封建制による人格同士の契約の役割とともに中世キリスト教の人格的結合のエートスが果たした役割を重視して、中世社会全体を個人の人格的結合による社会として描き出しています。[43]

文化史の観点から中世における個人の発見を照らし出したのは、オックスフォード大学のコリン・モリス教授です。モリスは、中世の文学や宗教の文献を広く研究して、一〇五〇年から一二〇〇年の間に、ヨーロッパ文化のなかで「個人の発見」といえる現象が起こったことを明らかにしています。そして、それが今日の近代的個人主義とは性格を異にするものであることを指摘し、「私たちの知る西欧が今日終焉に達した」かに思われるなかで、この一二世紀の文化現象にたちもどって個人の問題を考えることが重要になっていると示唆しています。[44]

私たちはいま、近代社会を支配してきた「量的個人主義」をのりこえて、この中世社会に起源をもつ「質的個人主義」を再生していくことによって、個の自由から出発した関係でありながら、それが全体と相補うあうような関係に立つことができるような「個人主義」を新たに創り出していくことができるのではないでしょうか。

以上のような議論は、西洋社会において問題にされてきた個人主義を対象にしたものでした。だが、東洋社会、そして東洋社会でありながら、西洋近代の社会原理を導入して西洋型の近代化を進めた日本社会においては、また別の形で「個と全体の相補関係」が問題にされなければならないのではないか、と思います。

この点において、第二次集団の構成原理を三つの類型に分けて考察している中国系アメリカ人の社会学者フランシス・シューの理論が注目されます。

第二次集団というのは、血縁・地縁のような生まれつきあたえられている紐帯による集団を第一次集団としたとき、業縁・選択縁といった多かれ少なかれ選択できる紐帯によって結びついた集団のことです。

シューさんは、典型的な第二次集団を三類型にまとめています。第一は中国文明圏の社会で、親族原理にもとづく宗族 clan を構成します。第二は、インド文明圏の社会で、ヒエラルヒー

Francis L. K. Hsu

原理にもとづくカースト caste を構成します。そして第三が西洋文明圏の社会で、ここでは契約原理にもとづくクラブ club が構成されます。日本はどうかというと、これらのいずれの類型にも入らず、独自の原理をもっている、とシューさんはいっています。

日本社会における第二次集団の構成原理は、中国文明圏の親族原理、英語でいえば kinship の原理と、西洋文明圏の契約原理、英語でいえば contract の原理との中間型の論理、英語でいえば kin-tract、日本語訳では〈縁 - 約〉原理といわれるものだとされています。これは、西洋の近代原理を導入しながら、伝統的な人間関係を生かして独特の近代化を遂げた日本の近代社会の社会構成を巧みにとらえた概念だと思います(45)。

このシューの理論にもとづきながら、西洋における個人と個人との関係のありかたとは異なる日本における人と人との関係を、「個人」the individual と「間人」the contextual としてとらえたのが、日本の社会学者・濱口恵俊でした。

濱口さんは、西洋近代の社会システムの構成のしかたは、システムの構成要素を「個体」に

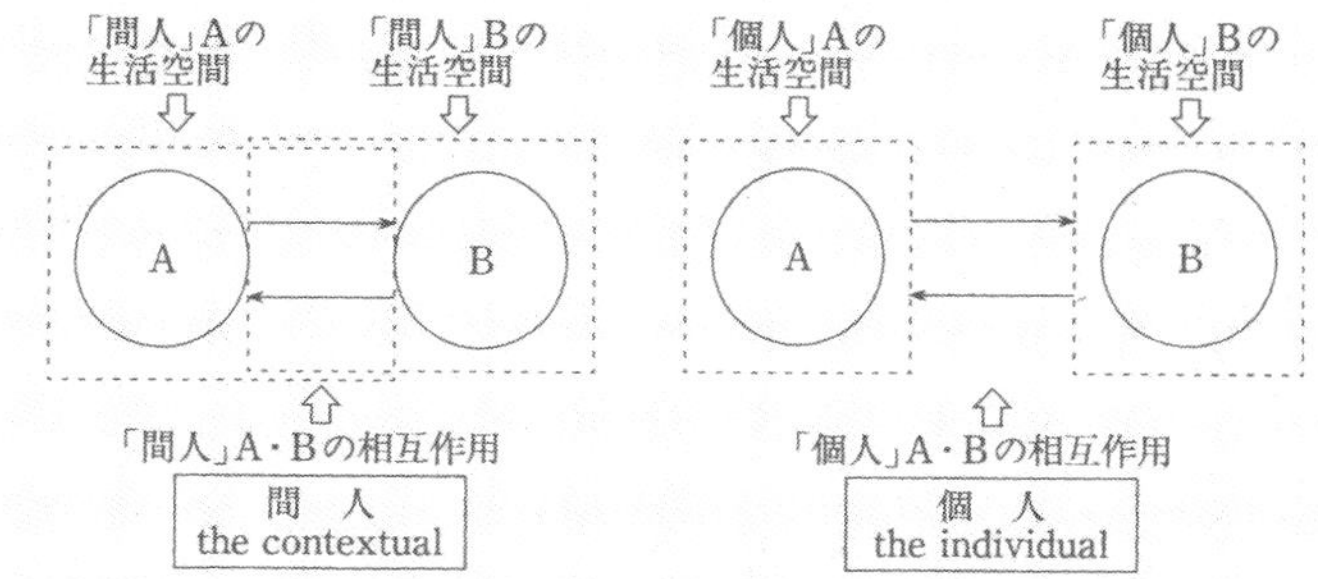

「個人」A・Bの間の相互作用は，それぞれの生活空間の外側にあって手段的なものとみなされる．「間人」A・Bの間のそれは，二人に共有された生活空間にあって，各人を成り立たせる必須の要素として本質視される．

「個人」と「間人」の相互作用

おいて構成していくものだったが、日本の場合は、個体ではなくて「関係体」が構成単位になって組み立てられている、というのです。このときの「関係体」とは、個体が他者と結ぶ関係を個体とともに包摂するかたちで存在している主体ということです。そして、その主体が個々の人間である場合、「個体」は「個人」the individual ということになりますが、「関係体」は個人ではなく、個人が自らと他者との関係を包摂したものとしての「間人」the contextual になるというのです。

「個人」が構成要素になっている西洋型組織と「間人」が構成要素になっている日本型組織の違いは、上の図のようになります。

シューさんのいう日本型の社会構成原理である〈縁‐約〉原理 kin-tract は、このようなものである「間人」が構成単位になっています。そのとき、そうではあっても、個であるAやBはあくまで自発的に行動する自由をもっています。しかし、自発的に行動しながら、行動するうえでつねにほかの構成員との関係をみずからの問題としてとらえていくことになります。そして、それは、個の自由が全体と相補い合う方向で働いていくことにつながっていくでしょう(46)。

こうして、「質的個人主義」なり「間人主義」なりによって近代的な「量的個人主義」がのりこえられていくなら、そこに新しい相互扶助社会への道が開けてくるのではないでしょうか。

注

(41) ジンメルの「量的個人主義」と「質的個人主義」については、ゲオルク・ジンメル〔居安正訳〕『社会学』下（白水社、一九九四年）第一〇章「集団の拡大と個人の発達」を参照してください。

(42) ウォルター・ウルマン〔鈴木利章訳〕『中世における個人と社会』（ミネルヴァ書房、一九七〇年）を参照してください。

(43) ジョン・B・モラル〔城戸毅訳〕『中世の刻印』（岩波書店、一九七二年）を参照してください。

(44) コリン・モリス〔古田暁訳〕『個人の発見』（日本基督教団出版局、一九八三年）を参照してください。

(45) 以上のシューの社会論については、F・L・シュー〔作田啓一・濱口恵俊訳〕『比較文明社会論―クラン・カスト・クラブ―』（培風館、一九七一年）を参照してください。

(46) 濱口恵俊の間人論については、日本型システム研究会『日本型システム――人類文明の一つの型』

（セコタック株式会社、一九九二年）、濱口恵俊『「日本らしさ」の再発見』（講談社、一九八八年）、同『日本型信頼社会の復権』（東洋経済新報社、一九九六年）を参照してください。

12　相互扶助ができる場をつくる

「質的個人主義」や「間人主義」は、いきなり普遍的で全体的なかたちで通用するわけではありません。

実際に西洋中世における質的個人主義は、ギルドや自由都市という「場」において成立したものでした。国家や帝国というレヴェルで通用したわけではありませんでした。近代日本の「間人主義」も、市民社会という全体的なレヴェルでいきなり通用したわけではなくて、企業とか団体とかの部分的な「場」で、それぞれの場に応じた具体的なかたちで成立していったものだったのです。

現代の社会で考えても、全体社会において「質的個人主義」や「間人主義」が通用するわけではありません。まえにものべたように、今日の社会は「各人は自己のために、国家は万人のために」という原理で組織されているので、市民社会においては「自己のため」に行動し、「万人のため」に実際に行動するのは具体的な個人ではなく、税金などを通じて彼らから委託された形をとった国家であるというしくみになっているからです。

ですから、いま相互扶助を甦らせるためには、いきなり全体社会を相互扶助社会に変えていくというアプローチを採ることはできません。相互扶助社会は、西洋中世で質的個人主義が支配していたような個別の「場」を現代社会のなかに部分的な『小さな社会』としてつくりだしていかなければならないのです。そして、そうした具体的な個別の場において、合意を通じて、関係を組み替えていくことが必要なのです。

この課題に取り組んでいくうえで、多くの示唆をあたえてくれるのは、生命関係学を専門にしている清水博先生の「場の形態形成」論です。清水さんは、もともと薬学者でしたが、統計物理学的手法で生命を研究するなかで、生命がどのようにして秩序を形成するのかという問題について、独自の理論をつくりあげました。それが「生命における関係論」です[47]。

従来、生命がみずからつくりだす秩序については、ふたつの考え方があり、おたがいに対立していました。そのひとつは機械論 mechanism で、個体が自律してばらばらに行動することで自然に秩序ができるという理論です。もうひとつが全体論 holism です。機械論において考えられた個体の究極の単位は原子 atom で、これの自律的な運動が全体の秩序をつくるとされたのですが、その究極の単位はそのような自律的な原子ではなくて、個体そのもののなかに全体に従うものが含まれていると考えるのが全体論なのです。したがって、それは atom ではなくholon（全体子と訳されています）だというのです。これは、全体が一律に個体を規定しているという考え方だということになります。

これらの理論に対して清水さんが建てたのが関係論 bioholism で、生命の秩序は、個と個、個と全体が相補い合う相互連関とフィードバックによって形成されるという考え方です。個と全体の有機体論 organicism といってもよいかもしれません。

清水さんは、その相補的な連関とフィードバックは、無限定におこなわれるのではなく、ある特定の場においておこなわれることを明らかにしました。それが「場の形態形成」論です。この理論は、いろいろむずかしいところがあるのですが、僕が理解できたところで、相互扶助というテーマにひきつけて、ポイントになるところをかいつまんでご紹介しておきます。

人間の個体が、他の人間の個体群とどうやって相補的な連関とフィードバックの関係に入るのか。この点をめぐって、清水さんは「自己の卵モデル」という喩えを用いて説明しています。「自己の卵モデル」というのは、自己というものを黄身と白身から成る卵にたとえるものです。そして、個体の生命をその個体の内に局在する「局在的生命」と他の生命体と同化して結びつき合う「遍在的生命」という二重の生命からできているととらえていくのです。

そこには次頁の図のような関係が成り立っていきます。

卵の黄身は、自己の局在的生命にあたるもので、物質に強い結びつきをもった自己の核とな

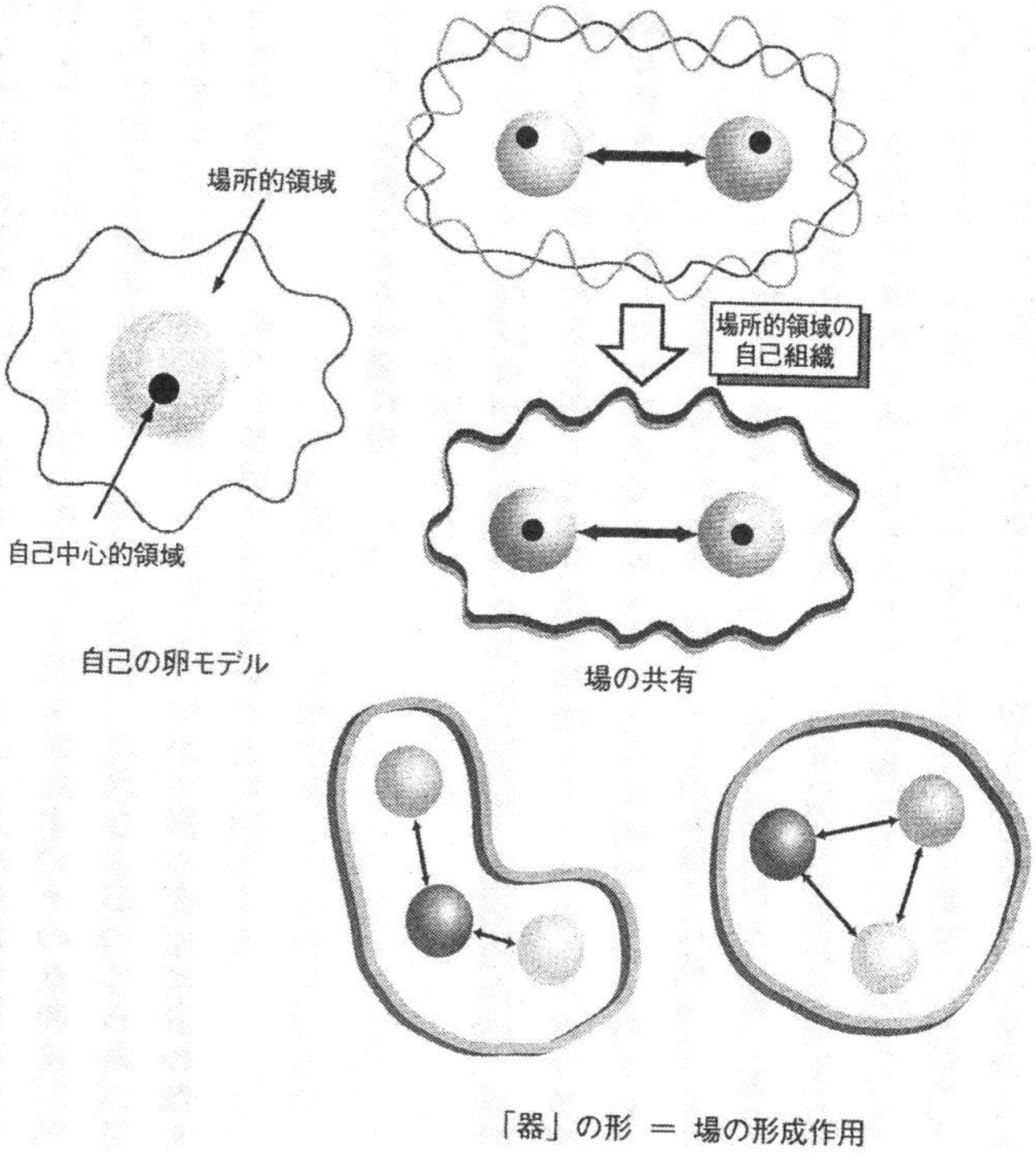

自己の卵モデル

る生命です。これが自己中心的領域に位置します。

卵の白身は、自己の遍在的生命にあたるもので、生命体相互のつながりと広がりに関わる生命です。これが場所的領域に位置します。

場における人間はフライパンのような器に入れられた複数の卵にたとえられます。図を参照してください。フライパンの中が場です。そこに割られて入れられた卵がいくつかくっついています。

複数の人間たちそれぞれ

の黄身は分かれて「われ」として局在します。それに対して、白身はたがいに広がって接触して一体化し、そこに「われわれ」が現れてきます。そこで「われ」と「われ」とをつないで「われわれ」にするのは、それぞれの「われ」の生命、それぞれに属している遍在的生命なのです。

ですから、自己の生命の存在範囲は白身を含んだ全体であって、そこで黄身である自己の局在的生命は示された生活世界に占めるべき位置を相互関連のなかに発見するのです。そして、それによって黄身は全体性をフィードバックすることができるわけです。

この喩えでいうと、卵の黄身を自律した個人だとしてとらえ、白身をそれと切り離してしまうのが、西洋社会の「個人」モデルです。それに対して、日本社会の「間人」モデルは、白身も自己の生命の一部としてとらえているわけです。

また、個人モデルではあっても、「質的個人主義」では、抽象的で全体の単位としてしか個人をとらえない「量的個人主義」とはちがって、個人をその質的差異において具体的な唯一存在としてとらえますから、異質な個人が出会う場とそこでの相互の関係が重視されることになります。

「量的個人主義」が普遍的で抽象的な自由と平等につながっていくのに対し、「質的個人主義」は個別的で具体的な場において人間関係をとらえますから、問題は「場における自由と対等」ということになります。場においては平等よりも対等が、抽象的自由ではなく具体的自由が問題になるのです。そうすると、「量的個人主義」においては同質者の勢揃いへと向かっていくのに対し、「質的個人主義」においては異質者の出会い、異質者の相互承認、相互性の確立に向かっていくことになります。

こうしたとらえかたはクロポトキンの考え方と合致するのではないかと思います。

クロポトキンの考え方の基本は、次のような図式で描くことができます。

個の尊重	➡	自他の個の相互尊重
↓	（相互性）	↓
自由発意	➡	自他の自由合意

「個の尊重」が出発点になります。ですから、個人個人の「自由発意」voluntary proposal から始まります。

「個の尊重」は同時に「個の相互尊重」を意味します。それは、各個人があらかじめ平等だからではなく、場においては異質者が対等だからです。

そこに成立しているのが「相互性」mutualityです。平たくいえば、「おたがいさま」ということです。それが「個の尊重」を「自他の個の相互尊重」へ、そして「個の自由発意」を「自他の自由合意」voluntary agreement へ導くのです。

これが、清水博さんのいっていた「相補的な連関とフィードバック」にあたります。このようにして、場における相互扶助が成立するのです。

僕たちは、このような関係をつくることができる「場」を、小さくてもいいから自分の周りに創り出していくことから始めなければならないのです。そうした「場」を創り出す結びつきのかたちは「選択縁」ですから、家族でなければならないとか、地域集団でなければならないとか、企業でなければならないとか、一律に決まったものではありません。さまざまな形態の小さな「おたがいさま」関係をつくっていき、そうした関係の場に共通に生まれてくる「場の精神」というべきものを拡げていくこと、それが相互扶助再生への途なのです。

注

(47) 清水博『場の思想』(東京大学出版会、二〇〇三年)を参照してください。

13　相互扶助の場が連合する

相互扶助が成り立つ場をつくることは、現在の社会状況のなかではそう簡単ではないですが、やろうと思えば、小さな場ならいつでもどこでもできます。しかし、その小さな場を広げ、結びつけて、全体として相互扶助社会をつくりだしていくのは、非常に難しいように思われます。それでは、相互扶助の場が連合するには、どうしたらいいのか。その問題を考えてみようと思います。

この問題について、クロポトキンは、まえにちょっとふれましたが、次のようにのべています。[48]

新しい社会は、人間がいろいろな目的のために連合したたくさんの協同団体 association によって構成されることになるだろう。農業の団体、工業の団体、知識人の団体、芸術家の団体などあらゆる種類の生産を目的としてむすびついた職業連合 trade federation。住宅、ガス、食糧、衛生施設などを提供する消費のための自治体 commune。この自治体相互の連合 federation。自治体 commune と職業連合 trade federation との連合 federation。最後には、一定の地域にかぎられることなく、全国的な規模、あるいは数ヵ国にまたがる規模で、経済的必要や知的必要や芸術的必要や道徳的必要をみたすために協力する人たちの広汎なグループ、これらすべてのグループは、相互の間の自由な協定によってむすびつくことになるだろう。

このような社会の構成は、多元的な相互扶助団体が上下関係なしに水平的に結びつくという点で多元的な社会構成であり、多元的な単位が連合し、その連合が連合するという点で重層的な社会構成であります。

この多元的・重層的な社会構成は、次頁の図のようになるのだろうと思われます。

そして、このような社会構成は、すでに見たように、中世のギルドや自由都市の社会構成と似ています。クロポトキンの『相互扶助論』をドイツ語に訳した社会哲学者のグスタフ・ランダウアーは、次のように書いています(49)。

［中世社会の］特徴は、数多くの、このような自律的な性格をもった単位包括的な公共団

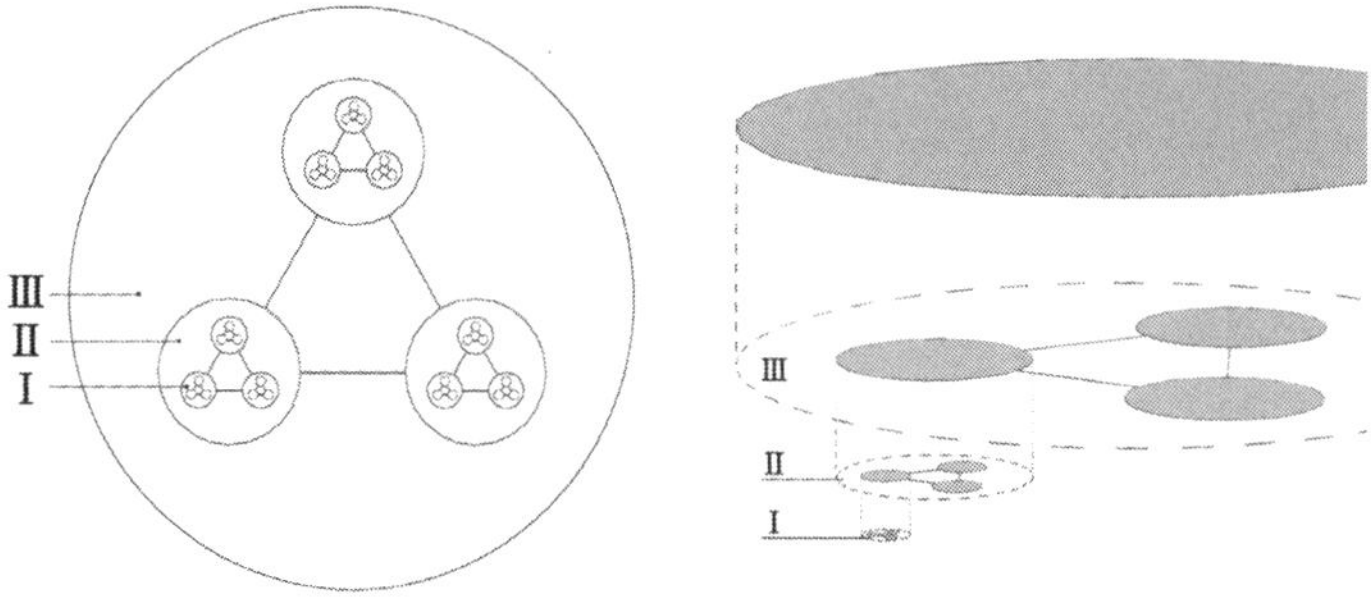

多元重層連合社会のイメージ

体が、おたがいに押し分け合いながら、また層を成して積み重なり合いながら、存在していたことにあるのだ。層を成して積み重なり合っていたといっても、それは一つの整然たるピラミッドを成していたわけではなく、なんらかの集合的な強制力を構成していたわけでもない。中世が採った形式は国家ではなく社会だったのであり、それも、諸々の小社会から成る社会だったのである。

この諸々の小社会がたがいに押し分け合いながら（多元）、層を成して積み重なり合っていた（重層）社会という中世社会のイメージは、まさにクロポトキンが描いた未来社会のイメージと重なります。

そして、このような中世社会の重層的構成の社会原理を定式化したのが、近世のカルヴィニストで法学者だったヨハネス・アルトゥジウスの「補完性原理」subsidium（英語では subsidiarity）です[50]。

Johannes Althusius

「補完性原理」とは、重層的構成において下位（階層が下位にあること、すなわちより小さい単位にあること）と上位（階層が上位にあること、すなわちより大きい単位にあること）との間の関係をどうするべきかという原則です。そして、その原則は、もっとも簡略化していえば、次の二点にあります。

① 下位が自力でできることには上位は介入しない

② 下位が自力でできないことには上位は援助しなければならない

このような原則に基づいて、協力・援助を組織していきますと、次のような順序でおこなわれていくことになります。

「自助」―「互助」―「共助」―「公助」

「自助」self aid とは、自分で自分の問題を解決することです。

「互助」mutual aid とは、近隣集団・村落・都市共同体・協同組合・同業組合など仲間の間で助け合って問題を解決することです。

「共助」communal aid とは、同じ場を共有している仲間ではない外部の他者や他集団から自発的な援助を受けて問題を解決することです。

「公助」public aid とは、自治体や国家の政府や公共団体など公的な機関の援助によって問題を解決することです。

このような順番で自己統治すなわち自治の階層が積み重なっていくべきだというのが、補完性原理なのです。

この補完性原理は、ＥＵ統合の際に、統合を導く原理として採用されたこともあって、日本でも数年前から、この原理が取り上げられるようになりましたが、その解釈に問題があります。多くの場合、「互助」すなわち相互扶助抜きの補完性になってしまっているのです。これは、どういうわけでしょうか。

これは、アルトゥジウスが論の対象とした中世の法制における権利のありかたと近代の権利のありかたとの違いを無視して、そのまま現代に適用しているためなのです。中世においては、個人の権利というものはなくて、権利というのはあくまで団体の権利でした。だから、自助というのは、その団体内部における相互扶助すなわち「互助」を含んだものなのです。これに対して、近代の権利体系は、個人の権利から始まりますから、「自助」といえば個人の自助であり、「共助」との間には、相互扶助としての「互助」が入らなければならないのです。この点は注意しなければなりません。相互扶助こそが補完性原理を実践する第一歩なのですから。

補完性原理は、欧州統合のような大きな課題においても使われましたが、もっと身近な小さな課題でも、実際には補完性原理にもとづいているのと同様な行動が見られる場合があります。たとえば、二〇一一年三月一一日の東日本大震災のとき、大津波で集落を全面的に破壊されたある集落がたどった自主再建の道は、そのような行動のひとつでした。その集落とは、宮城県南三陸町歌津崎という岬にある馬場中山集落です。

住民は、集落裏手の丘の上の集会所を自主避難所にして、そこに拠りながら自力で復興活動をおこなったのですが、最初の段階では、避難所の整備や拡充も、食糧や生活用具の確保も、すべて自分たちでおこないました。「自助」から「互助」への段階です。

行政は、辺鄙で不便なこの土地から別の土地への集団避難を勧めます。しかし、全員参加の寄合で議論を重ねた結果、自分たちで近くに仮設住宅地を確保して、そこに住居を建設して村から離れないことを確認しました。ところが、行政はこの土地は水道が引けないし道路が確保できないからだめだと言い、住民たちだけでは解決できない問題がいろいろ出てきました。そ

被災した馬場中山集落（集落のための東日本大震災復興支援サイト Team SAKE より）

こで、彼らは、すでに開設していたインターネットのサイトで、全国に実情を訴え、援助を呼びかけました。すると、プロの測量士や土木建設業者などが遠くからやってきて、測量・造成・建設のプランづくりを援助してくれたのです。「共助」の段階です。

　こうして、自力再建のプランを進めた住民たちは、そのプランを幹線道路整備の「未来道プロジェクト」、漁業自力復興プロジェクト「なんじょかなるさ！ プロジェクト」に発展させ、行政の援助を得て、被災共同体から復興共同体への途を歩んでいきました。「公助」の段階です。

　このような「補完性原理」実践の実例は、最初から国家や地方自治体の政府 government による公助に頼るのではなく、まずみずからとみずからの仲間の相互扶助から出発して、そこで築き上げた基盤にもとづいて、自分たち自身のできることをもとにして、できないことを助けてもらうというふうに進めるなら、助ける方にも助けられる方にも満足のゆく助け合いができるのです。

この方式を恒常的な相互扶助連合に発展させていくことも可能です。

Think globally. Act locally. という言葉を聞いたことがある人が、けっこういるのではないでしょうか。一時かなり流行ったフレーズです。「グローバルに思考し、ローカルに行動せよ」というこの言葉を最初にいったのは、細菌学者・生態学者のルネ・デュボスでした。彼がこの言葉で表そうとしたのは、「場の精神」spirit of place ということでした。

それは、つまり、「自然においても社会においても、それぞれの場に成立する単位がアイデンティティを獲得し、そののちにコミュニケーションを通じて相互作用し合うという順序をたどってこそ世界の秩序の創造ができる」ということだったのです。

それは「相互扶助の場の連合」というテーマと相響き合うものをもっているのではないでしょうか。

注

(48) 前掲・『ある革命家の手記』下 pp.209~210

(49) グスタフ・ランダウアー［大窪一志訳］『レボルツィオーン　再生の歴史哲学』（同時代社、二〇〇

四年）pp.55~56

（50）　オットー・ギールケ［笹川紀勝・他訳］『ヨハネス・アルトジウス：自然法的国家論の展開及び法体系学説史研究』（勁草書房、二〇一一年）参照。アルトゥジウスの日本語訳は学会誌以外では、僕の知るかぎりありません。しかし、彼の思想はこのギールケの本でかなり詳しく知ることができます。

14　相互扶助と競争を両立させる

相互扶助は扶助し合う仲間内だけで閉鎖的な集団をつくり開かれた社会を阻害するとか、生存競争を否定するから怠惰をはびこらせて社会の活力を失わせるとかいわれています。

だが、そんなことはありません。

まず「生存競争」という概念について考えてみる必要があります。

もともとダーウィンが提起した「生存競争」という概念は、『種の起源』では相互扶助を内に含む広い概念だったのです。ところが、この観点は充分発展させられず、「弱肉強食」のような狭い意味にされてしまったのです。この「相互扶助と両立する競争」という観点を発展させたのがクロポトキンだったのです。その観点が、まえにのべた「形質の分岐」「生物学的隔離」「棲み着き」に着目する発想を生んだのです。

ダーウィンは、こういっています[51]。

生物の構造や、習性や、体質が分岐すればするほど、いよいよその〔棲息する〕地域で支持される数が多くなる。……だから、ある一つの種の子孫が変化する間、またあらゆる種が数を増やそうとして競争しつづける間、その子孫が多様になればなるほど、いよいよ生存の戦いに成功をおさめる機会が多くなるわけである。

つまり、多様化するほうが競争に有利に働くから、同種の間で競争するより、同じ種のなかで異質なものを生んで多様化する途を選ぶのだ、というわけです。

そのようにして、同質者のままで競争し合うのではなくて、棲む場所や食べる食物を変えることによって異質者になって、異質者同士の競争をおこなっていくのです。

同質者同士の競争を避けて異質者同士の競争に変えれば、共存しながらの競争になります。

そこでは競争と相互扶助は両立するのです。

これを人間社会に適用すればどうなるでしょうか。

法哲学者の井上達夫さんたちは二つの競争を区別しています[32]。それは、いまいった「同質者のままの競争」と「異質者同士の競争」とに対応するところがありますが、その二つの間の差異をよりはっきりとさせてくれます。

競争その一は、「その都度与えられた同じ目標や範型に向かって、『右に倣え』、『遅れをとる

Charles Darwin

な』、『追いつき追い越せ』とガンバリ、一億総何々式に動員される競争」で、井上さんたちは、これを「エミュレーション」emulationと呼んでいます。

英語でemulateというのは「まねをする」という意味です。だから、エミュレーションというのは、同じものを手本にしてまねをする競争ということです。

競争その二は、「与えられた目標や範型を競うのではなく、目標や範型そのものを、人々が『共に（con）探し求める（petere）』営み」で、この競争は「コンペティション」competitionと呼ばれています。

この競争は同じものを手本にするのではなくて、みんながそれぞれ自分なりの目標ややりかたを考えて、それぞれにやってみる競い合いなのです。

相互扶助する仲間は、「エミュレーション」すなわち「まねをする競争」はしません。けれど、「コンペティション」すなわち「共に探し求める競争」は大いにやるのです。

「まねをする競争」だけが盛んな社会は、活気はあるかもしれませんが、殺伐とした生きにくい社会になるでしょう。そこでは、競争と相互扶助は両立しません。「共に探し求める競争」が盛んな社会は、目標やお手本をあたえられないとやれないという人には向かないかもしれませんが、自分は自分なりにやっていこうということが認められるうえに、おたがいに自由に生きながら活気を保てる社会になるでしょう。そこでは、競争と相互扶助は両立します。

「各人は自己のために、国家は万人のために」という社会は、「まねをする競争」だけが盛んな社会になりがちです。「一人は万人のために、万人は一人のために」という社会は、「共に探し求める競争」が盛んな社会になっていくのではないでしょうか。

どちらの社会が好ましいか、いうまでもないのではないでしょうか。

注

(51)　チャールズ・ダーウィン［内山賢次・石田周三訳］『種の起源』（河出書房版世界大思想全集、一九五四年）p.111

(52)　井上達夫・名和田是彦・桂木隆夫『共生への冒険』（毎日新聞社、一九九二年）pp.16~21

15 相互扶助は義務も強制もないモラルである

クロポトキンは、相互扶助は「無意識の良心」として働くのであって、現代の人間の意識においては「宗教よりも高い倫理つまりモラル」として現れなければならないと考えました。けれど、それと同時に、このときのモラル＝道徳とは、「義務」や「強制」によっておこなわれるものではないとしたのです。

義務や強制によらない、したがって命令も規則もない「自由な道徳」――そんなものがありうるのでしょうか。ある。相互扶助はそういう道徳にもとづいている。――クロポトキンは、そういうのです。

近代における倫理というものの考え方の基本は、道徳というのは何かの目的をめざしておこなわれるものでも、何らかの結果を出すためにおこなわれるものでもなく、それ自体を自己目的としておこなわれるものである、と考えられていました。それがカントの言う「定言的命令」kategorische Imperativ です。感覚によって感じ取られるものとは無関係に、理性が無条件に

「なんじ為すべし」と命令するのが道徳の根本だとカントはいうのです。そして、これが近代倫理学の通念になってきました。

しかし、クロポトキンは、このような考え方には反対でした。

クロポトキンは、『アナキズムの道義』というパンフレットのなかで、「為さねばならぬ」というような義務の感情が生まれるのは、「生の余剰」によるものであって、その「生の余剰」とは、「それ自体が行使され、それ自体が他にあたえられることを求めると同時に、それ自体が力の意識でもある」ものなのだ、「義務」とは「生を維持するためには生を拡張しなければならない」ということによっているのだ、といっています[53]。

そこから、相互扶助のモラルは、むしろ「生の充溢」、その結果の「生の余剰」から生まれると考えていたのです。

こうした考え方は、クロポトキンが同時代のフランスの思想家ジャン＝マリー・ギュイヨーから学んだものでした。

ギュイヨーは、『義務も制裁もなき道徳』という著作のなかで、次のようにのべています[54]。

義務は他の凡ゆる力に優越する或る内的力の意識に帰着せしめられるであろう。より大なることをなし得ると内心に感ずることは、それ自体でそのことをなさねばならぬと最初

Jean-Marie Guyau

に意識することである。……義務とは自己を働きかけ、自己を与えることを求める生命の過剰である。……義務は何よりも力の感情なのだ。……道徳的責務は、生は自己を与えるという条件でのみ自己を維持することができる、というかの自然の大法則に帰着せしめられる。

そして、この「自然の大法則」について、「最も豊かなる生命は自己を浪費し、或る程度まで自己を犠牲にし、他の者のために自己を分ち与える傾向が大である」ということであり、そのように個体として自分だけで充足することでとどまることができないような「生命拡大の原理」が働いているのだ、とのべています[55]。だから、それは「自己犠牲」という否定的なものではなくて「自己拡張」という肯定的なものなのだというのがギュイヨーの考えです。

クロポトキンは、この考え方に全面的に賛成しているのです。

クロポトキンとはずいぶん違う、場合によっては正反対といってもいい思想を懐いていたニーチェが、この点においては、同じ考えなのは、興味深いことです。ニーチェは、たとえば、『偶像の黄昏』のなかで、こういっています。[56]

あらゆる宗教や道徳の根底にある最も普遍的な定式は、「これこれのことをなせ、これこれのことをやめよ——そうすればおまえは幸福になる！　そうでない場合には……」と命ずる。あらゆる道徳、あらゆる宗教が、この命法そのものである。……私の口にかかれば定式はその逆へと転ずる。……出来のよい人間、「幸福者」は、或る種の行為をなさざるをえず、他の行為を本能的にはばかるのであって、彼は、おのれが生理学的に体現している秩序を、人間と事物とに対するおのれの関係のうちへと運び入れる。定式であらわせば、彼の徳はおのれの幸福の結果である。

ニーチェも、このように、「命法による道徳」を否定し、「本能の豊かさ」から生まれてくる行動指針をこそ採るべきなのだ、というのです。

つまり、われわれは、「なんじ為すべし」という命令によって動くのではなく、クロポトキンや孟子がいったように、内から湧いてくる「やむにやまれぬ気持ち」「いたたまれない感情」にうながされておこなうのだ[57]ということになります。

ニーチェを引用したりしましたので、「生の過剰」による「生の拡張」としての相互扶助などというのは強者の道徳ではないか、弱者には道徳はないのか、置き去りにされるだけなのかといわれるかもしれません。しかし、そうではありません。

もともと本能にもとづくものであり、そこに還ることによって「無意識の良心」として働く相互扶助のモラルは、社会的あるいは経済的に弱い立場に立たせられている人たちをも、道徳的に強くするものなのです。むしろ、彼らは協同せずには自立できないことを自分たちの生活のなかから知っているだけに、そういう意味での道徳的な強さをもちうるのです。

それについては、ロバート・オーウェンの研究者で協同組合について多くの著作を残している白井厚先生が、一九八〇年のレイドロー『西暦二〇〇〇年の協同組合』に関する小さなパンフレット[58]のなかで、「協同組合は、経済的弱者の結合ではなく、道徳的強者の結合となるべきである」とのべていたことを印象深く思い出します。

われわれはみずからの生を拡張していこうとします。生きる力を活き活きと発揮していこうとします。そのとき、生きる力が溢れていけば、その力は自然に他にあたえられるのです。そのとき、そこには、あたえることなしには生きつづけていくことができないという境地が生まれていきます。それがモラルなのです。――ギュイヨーが、したがってまたクロポトキンがいっているのは、そういうことだと思います。

だから、彼らがモラルのために呼びかけるのは、「ほんとうに生きたといえるように生きよう」ということなのです。

注

（53）前掲・『相互扶助再論』p.234
（54）ジャン＝マリー・ギュイヨー［長谷川進訳］『義務も制裁もなき道徳』（岩波書店、一九五四年）pp.117~118
（55）同前 p.113
（56）ニーチェ［原佑訳］『偶像の黄昏』（ちくま学芸文庫版ニーチェ全集14、筑摩書房）p.57
（57）一の3「人間の相互扶助は「無意識の良心」によるものである」の項参照。
（58）そのパンフレットをいま見つけることができないのですが、解説に書かれていた以下の言葉はメモしてあったので、まちがいないと思います。

参考文献

本稿で言及したものに限りました。順不同です。翻訳書には原著の著者名・題名を付記しました。

《クロポトキンの相互扶助論》
ピョートル・クロポトキン［大杉栄訳］『相互扶助論』（新装増補修訂版、同時代社、二〇一七年）
Pjotr Aljeksjejevich Kropotkin, *Mutual Aid.*
ピョートル・クロポトキン［高杉一郎訳］『ある革命家の手記』上下（岩波書店、一九七九年）
Pjotr Aljeksjejevich Kropotkin, *Memoirs of a Revolutionist.*
ピョートル・クロポトキン［大窪一志訳］『相互扶助再論』（同時代社、二〇一二年）
［雑誌論文等を日本で編集し集成したもの］

《クロポトキン研究》
大杉栄『クロポトキン研究』（大杉栄全集第四巻、現代思潮社、一九六四年）
グスタフ・ランダウアー［大窪一志訳］『レボルツィオーン　再生の歴史哲学』（同時代社、二〇〇四年）
Gustav Landauer, *Die Revolution.*
大窪一志「相互扶助の暗黙知を再発見する」、『季刊 at』一〇号（太田出版、二〇〇七年）［本書に収録］
大窪一志『自治社会の原像』（花伝社、二〇一四年）

《相互扶助関連の諸論》
ダニエル・P・トーデス［垂水雄二訳］『ロシアの博物学者たち―ダーウィン進化論と相互扶助論』（工作舎、一九九二年）
Daniel. P. Todes, *Darwin without Malthus.*
ジェイムズ・C・スコット［佐藤仁訳］『ゾミア――脱国家の世界史』（みすず書房、二〇一三年）
James C. Scott, *The Art of Not Being Governed.*
ミハイル・ポクローフスキー［外村史郎訳］『ロシヤ社会史』（1）（叢文閣、一九二九年）

Mikhail Nikolaevich Pokrovsky, *Русская история в самом сжатом очерке.*
今西錦司「人間以前の社会」、『増補版　今西錦司全集』第五巻（講談社、一九九四年）
今西錦司『人類の誕生』（講談社、一九六八年）
カール・ヤスパース〔重田英世訳〕『歴史の起源と目標』（ヤスパース選集第九巻、理想社、一九六四年）
Karl Jaspers, *Vom Ursprung und Ziel der Geschichte.*
ゲオルク・ジンメル〔居安正訳〕『社会学』下（白水社、一九九四年）
Georg Simmel, *Soziologie: Untersuchungen über die Formen der Vergesellschaftung.*
ウォルター・ウルマン〔鈴木利章訳〕『中世における個人と社会』（ミネルヴァ書房、一九七〇年）
Walter Ullmann, *The Individual and Society in the Middle Ages.*
ジョン・B・モラル〔城戸毅訳〕『中世の刻印』（岩波書店、一九七二年）
John B. Morrall, *The Medieval Imprint.*
コリン・モリス〔古田暁訳〕『個人の発見』（日本基督教団出版局、一九八三年）
Colin Morris, *The Discovery of the Individual.*
F・L・シュー〔作田啓一・濱口恵俊訳〕『比較文明社会論―クラン・カスト・クラブ―』（培風館、一九七一年）

Francis L.K. Hsu, *Clan, Caste and Club.*
日本型システム研究会『日本型システム――人類文明の一つの型』（セコタック株式会社、一九九二年）
濱口恵俊『「日本らしさ」の再発見』（講談社、一九八八年）
濱口恵俊『日本型信頼社会の復権』（東洋経済新報社、一九九六年）
清水博『場の思想』（東京大学出版会、二〇〇三年）
オットー・フォン・ギールケ〔笹川紀勝・他訳〕『ヨハネス・アルトジウス：自然法的国家論の展開及び法体系学説史研究』（勁草書房、二〇一一年）
〔原著名不明〕
チャールズ・ダーウィン〔内山賢次・石田周三訳〕『種の起源』（河出書房版世界大思想全集、一九五四年）
Charles Darwin, *On the Origin of Species.*
井上達夫・名和田是彦・桂木隆夫『共生への冒険』（毎日新聞社、一九九二年）
ニーチェ〔原佑訳〕『偶像の黄昏』（ちくま学芸文庫版ニーチェ全集14、筑摩書房）
Nietzsche, *Götzen-Dämmerung.*
ルネ・デュボス〔長野敬・新村朋美訳〕『内なる神』（蒼樹書房、一九七四年）

René Jules Dubos, *Gott Within.*
ジャン=マリー・ギュイヨー〔長谷川進訳〕『義務も制裁もなき道徳』（岩波書店、一九五四年）
Jean-Marie Guyau, *Morale sans obligation ni sanction.*

相互扶助の暗黙知を再発見する

――クロポトキンには見えたもの

相互扶助と自由な個

一九八〇年代に新自由主義が世界を席巻しはじめてから、「相互扶助」（mutual aid; entr'aide; die gegenseitige Hilfe　いずれも「助け合い」）という言葉は次第に冷遇されるようになってきた。「和衷協同」を国是とした明治以来[1]、助け合いを何よりの美風としてきたわが国でもそうだった。小泉内閣が進めた構造改革のなかで、「相互扶助」は、自由を束縛する悪しき平等につながるもの、あるいは全体を優先して個を犠牲にするものであるかのようにあつかわれ、それを唱える者は旧き停滞へもどろうとしているかのように見なされたのだ。そのとき、「相互扶助」に対置されたのは、「自由競争」であった。自由な競争こそが、個を生かし、社会に活力をあたえ、発展をもたらす、といわれた。

思想の歴史の上で、相互扶助の問題をもっとも重視し、もっとも詳細に論じたのは、ロシアのアナキスト、ピョートル・クロポトキン（Peter Kropotkin）だったろう。クロポトキンは、『相互扶助論』（*Mutual Aid*　一九〇二年）や『近代科学とアナキズム』（*Modern Science and Anarchism*　一九一二年）で、オーギュスト・コントの実証主義、チャールズ・ダーウィンやハーバート・スペンサーの進化論にもとづきながら、相互扶助を体系的に論じたが、そのなかですでに、いまいった相互扶助と自由競争あるいは個の自由との関係を、相互扶助と生存競争あるいは個体の独立性・異質性との関係として論じている。そして、相互扶助と自由な個とは――現代の新自由主義者がいうようには――背反しない、といっているのである。

クロポトキンは、生存競争というものを「逆境に対する闘い」(struggle against adverse circumstances)としてとらえる。[2] つまり、生物を環境のなかに飲み込んで同化してしまおうとする働きに対して抵抗して、生の充溢(possible fullness of life)を最大限に実現しようとする闘いだと考えるのである。最小限のエネルギー消費で最大限の生の充実を獲得しようとする闘いこそが生存競争なのだ。ここには、生命ある個体を〈環境に対して閉じられて、環境との間で緊張関係をもって交流している独立した体系〉と見る見方がうかがわれる。[3]

生存競争は、このように、まず生命体の環境との闘いであるから、個体相互の競争は、これに従属する。それぞれの個体は、環境との闘いの上で、相互に助け合ったほうがいいときには助け合い、相互に競い合ったほうがいいときには競い合う。[4] 個体どうしは、たとえば、栄養の必要(need of nutrition)のためには闘争するが、種の繁殖の必要(need of propagating the species)のためには、むしろ相互扶助をおこなう。けれど、闘争がおこなわれることがある栄養の必要のためでも、相互扶助し合う例は無数に見いだすことができる。[5] 学生時代に数学、物理学、天文学を学び、のちにシベリアで自然地理学の調査に従事したこともあるクロポトキンは、こうした実例をみずから収集して研究したのである。『相互扶助論』の緒論と最初の二章「動物の間の相互扶助」は、それらのデータにもとづきながら、ダーウィン進化論の不充分な点を補い、トマス・ハックスリらの進化論解釈を学術的に批判したものなのである。

そして、さまざまな実証の末に、クロポトキンは、結論する。「まことに幸いなことにも、競争は動物の世界においてもまた人間の世界においても、原則になっているわけではない。動物の場合にあっても、競争は例外的な期間にかぎられており、自然選択（natural selection）がそれより多くの活動領域で機能している。相互扶助と相互協力によって競争が排除されるなら、もっとよい状況がつくりあげられるだろう。大いなる生存競争の舞台において——つまり、最小限のエネルギー消費で最大限の生の充実を獲得しようとする闘争の場において——自然選択は、できるだけ競争を避ける手段をつねに求めつづけている[6]」と。

しかし、クロポトキンは、競争を否定しているわけではない。個体がすべてにおいて全体よりも優先すべきで、自由に行動してはならないなどといっているわけではない。では、どのような競争が生存のためにおこなわれているのか。そこでは個の自由がどんな役割を果たしているのか。この点については、ダーウィン『種の起源』（Charles Darwin, *The Origin of Species* 一八五九年）、クロポトキン『相互扶助論』両方の翻訳者である大杉栄が、『クロポトキン研究』のなかで特に着目している「形質の分岐」という問題が示唆的である。

クロポトキンが注目し、大杉が特に採り上げた「形質の分岐」（divergence of character）については、『種の起源』第四章で説かれている。種のなかには、最初はほとんど見分けがつかないほどの形質の差異を次第に増大させて、やがては形質の上で別のものへと分岐させていく過程がいたるところに見られるということから、ダーウィンは、その傾向をさして形質の分岐の原理と呼んだのである。そして、この形質の分岐が種の進化につながる変種をもたらすと考えたのだ。

つまり、同じ環境のなかで同一の種の個体が増えていくなかで、これまでとは違う形質をもった個体がさまざまに生まれてきて——それによって、これまでとは別の餌を食べられたり、これまでとは別のところに行けたりというふうに多様化してくる——、同一の環境のなかで、そうした多様な獲得形質が、おたがいに共存しながら種を繁栄させていく——そして、やがて自然選択によってある形質に収斂されていく——という過程が観察されるのである。

「生物の構造や、習性や、体質が分岐すればするほど、いよいよその地域で支持される数が多くなる。……だから、ある一つの種の子孫が変化する間、またあらゆる種が数を増やそうとして闘争しつづける間、その子孫が多様になればなるほど、いよいよ生存の戦いに成功をおさめる機会が多くなるわけである。かくて同じ種の変種を区別する小さな差異は、同じ属、進んでは別の属の種の間のもっと大きい差異と等しくなるまでぐんぐん増加する傾きがある」と

ダーウィンはいっている。(7)

　これは、種の逆境に対する闘い、最小限のエネルギー消費で最大限の生の充実を獲得しようとする闘いにとって有効な働きをする個体の競争である。それぞれが、それぞれなりの新しい形質を獲得して、その形質にしたがってみずからが生きる環境世界（Umwelt）を選択的に形成し、それを通じて、共存しながら競争する。これは、大枠としての相互扶助の下での自由な競争である。ここにおいては、個体の独立性・異質性がかえって種の生存競争を助ける。このようなかたちで、個における自由な形質の分岐が種における進化をもたらす契機になっているというのがダーウィンを受け継いだクロポトキンの考え方なのである。

　これに着目した大杉栄は、こういう形質の分岐のようなかたちでの競争を人間社会に当てはめて、人類はまず「自由合意により成る相互補助もしくは協同の大義」――類としての相互扶助原則――につかなければならず、そうすることによって、「他の社会的生活における種々なる自由合意的協同の完成を促すと同時に、また個人的生活におけるあらゆる肉体的、知識的、および道徳的方面の一種の競争を助長する」といっている。そして、人類がこのようにして（比喩的な意味での）形質の分岐をますます顕著にすることが、「真の意味の個人主義を可能にする新社会」をつくりあげていくことにつながるのだ、というのである。(8)

　このようなクロポトキン、大杉栄のとらえかたは、相互扶助と個の自由が退けあうのではなく、むしろ個の自由が相互扶助に資するという関係を、人間社会において実現することを志向しているのである。これは、競争というものを否定せず、しかし、それに新しい概念をあたえるものになっている。

ここで思い出すのは、法哲学者の井上達夫らが「競争のありかた、質」を問題にして、質的に違うふたつの競争概念を提示していたことだ(9)。

そのひとつは、「その都度与えられた同じ目標や範型に向かって、『右に倣え』、『遅れをとるな』、『追いつき追い越せ』とガンバリ、一億総何々式に動員される競争」であり、それは「エミュレーション(emulation)」と呼ばれる。emulateというのは「模倣する」「まねする」という意味だから、みんな同じものをまねしながらおこなう競争ということである。

もうひとつは、「与えられた目標や範型の達成を競うのではなく、目標や範型そのものを、人々が『共に(con)探し求める(petere)』営み」であり、これも競争ではあるが、「エミュレーション」とは質が違う。この競争を井上らは「コンペティション(competition)」と呼ぶ。そこでは、みんなに共通のパターンをめぐっての競争ではないから、多様なパターンを提起することが求められ、またそれがどのようなパターンであっても、可能性として尊重される。

この「コンペティションとしての競争」は、種の成員が、みずから形質を変化させながら、環境に対する最適の適応を競い合い、その多様な探究を通して、最大限の生の充実を獲得しようとする種の形質分岐のプロセスと同じではないか。このような質の競争こそが、相互扶助と個の自由を両立させ、相互に媒介させせながら、共同の営み（common undertaking）として成立させていくのではなかろうか。そうしたことを、クロポトキンや大杉栄は、二〇世紀の初めのころに、すでに示唆していたのである。

日本社会においては、一般に、個と全体、自立と協同の関係を初めから相補的なものとしてとらえる見方が、前近代的な社会関係の継承として、近代に入ってからも強かった。だから、ある意味では、相互扶助ということも当たり前のこととして受け容れやすかったのだが、そうした見方だけでは、近代的な契約社会、権利・義務関係によって成り立っている社会においては、かえって自立も協同も損なわれていくのだという認識がきわめて不充分であった。いままた、相互扶助の重要性があらためて浮き上がろうとしているとき、個と全体、自立と協同をまずもっては相反するものとして区別したうえで、個の確立なくして全体が全体として活きることはなく、逆に協同なくして自立はないという関係に媒介的にいたらしめるのでなければならない。

無意識の良心

クロポトキンがこのように相互扶助を説いたことは、彼の倫理的な姿勢として評価されている場合が多い。クロポトキンは相互扶助のための自己犠牲を説くモラリスト、道徳的アナキストである、というとらえかたがしばしばなされてきたわけである。しかし、かならずしもそうではない。

クロポトキンは、倫理あるいは道徳というものを重視し、生涯の最後にライフワークとして『倫理学　その起源と発達』（英語版 *Ethics: Origin and Development*　一九二四年）を著したくらいであるが、彼が考えていた倫理あるいは道徳は、外からあたえられる守るべき教条や教説としての倫理、道徳とは異なるものなのである。だから、クロポトキンを、一般的な意味で「モラリスト」「道徳的」と呼ぶのはまちがっている。なぜなら、彼にとって倫理とは、意識の上に建てられた道徳律のようなものではなかったのだ。「相互扶助」にしてもそうである。

相互扶助は、クロポトキンにとって、道徳律ではない。それは愛や同情を要求するものではない、とクロポトキンはいう。[10]「隣の家が焼けているのを見て、バケツに水をくんで駆けつけるのは、面識すらない隣人に対する愛のためではない。そのとき私を動かすのは、愛よりは漠然としてはいるが、もっと広いもの、人間的な連帯と交際（human solidarity and sociability）をもとめる感覚（feeling）ないし本能（instinct）である」。

「それは愛や個人的同情よりも遙かに広大な感覚――きわめて長い進化の過程において動物と人類の間に徐々に発達したひとつの本能であり、それが動物にも人類にも等しく、相互扶助と相互援助の実行によってえられる力、社会生活のなかに見いだすことができる喜びとを教えたのである」。

相互扶助は本能である、ということだ。愛や個人的同情は人間にとって意識的なものである。それに対して本能は無意識的なものである。クロポトキンは、相互扶助は「人間的連帯の良心」（conscience of human solidarity）だといっているが、同時にその良心自体が本能の段階にあるものだといっている。そして、そのようなものとしての良心は、「各人の幸福が万人の幸福に緊密に依存しているということ［一人は万人のために、万人は一人のために］を無意識の裡に承認すること」にほかならない、というのである[11]。つまり、クロポトキンは「無意識の良心」というものを考えていることになる。クロポトキンにとって、相互扶助とは無意識の良心なのである。

もともと良心というのは、英語・フランス語ではconscience、ドイツ語ではGewissen、ラテン語ではconscientiaというが、これらの語はいずれも、広い意味での「意識」のことであり、したがって「無意識の良心」というのは「無意識の意識」というようなもので形容矛盾である。だが、そのようなものを考えているところにこそ、クロポトキンの無政府共産主義（anarcho-communism）の特質があらわれているともいえる。

倫理的な意味での良心とは、やや不正確だがわかりやすくいえば、心のなかで行為の善悪を判断する主体のことである。近代思想の枠組では、これを自我に属するものとして考えるわけだが、クロポトキンはそうは考えないのだ。

「人類の歴史においてあらわれてきた個人の自己確証とは、〔近代の〕多くの論者が『個人主義』とか『自己主張』とかとして表象し支持してきたような、あのちっぽけで、知性を欠いた、狭量なものとはまったく別のものであって、多くの場合、つねにもっとはるかに広く深いものだったのである[12]」。

相互扶助を呼び起こす個人の良心は、近代的自我よりももっと広く深いところに根ざしているものだ、というのだ。その広く深いところにあるものが活きて働くのを阻んでいるものは何か。もっと狭く浅いものを良心だとさせてしまうものは何か。それは、「近代社会」が「一人は万人のために、万人は一人のために」ではないばかりではなく、「各人は自己のために、国家は万人のために」（"every one for himself, and the State for all"）という「かつて実現したこともなく、これからも実現しないであろう原則」の上に築かれているからだ、とクロポトキンはいう[13]。

先ほど、個と全体、自立と協同を無媒介的に統一されたものとして考えてしまうと、自立も協同も損なわれていくといったのは、この「各人は自己のために、国家は万人のために」という原則の作用に無自覚だと、全体への志向、協同のモメントが、現存の国家関係あるいは（現在の国家を別の国家に置き換えようとする運動に含まれている）潜在的な国家関係のもとに巻き込まれていってしまうからなのである。そこでは、個や自立が認められているように見えながら、クロポトキンのいう「もっとはるかに広く深い」ものであるはずの個人主義や自己拡張が扼殺されていってしまうのだ。だから、近代的な関係が普遍化している下にあっては、前近代にそのまま還ろうとすることによって近代をのりこえることはできず、前近代への回帰を媒介にしながらも、近代的な関係自体を転回（umschlagen）させる——万人のためにあるとされている国家を社会に埋め直すことによって、各人が自己のために働くことが、そのまま万人のためになるような関係にひっくりかえす——ことによってしか近代は超克できないのだ。

クロポトキンは、この転回を、いま・ここの場で、おこなおうとしていたのである。そのようなかたちで転回をおこなうことが彼にとってのアナルコ・コミュニズムなのだ。近代思想の枠内にある者は、相互扶助を理性によって組織しようとする。しかし、クロポトキンは、本能に還ることで相互扶助をおのずから蘇生させようとする。これは、いわば「逆啓蒙」であるともいえる。理性の光によって本能の暗がりを明るく照らし、その光によって合理化できないものは駆逐していくことが啓蒙（enlightment）であるとすれば、彼がやろうとしたことは、その逆、啓蒙的理性ではとらえられなかったものをたどって本能の領域にもどり、そこから、理性を通じた啓蒙ではなく、本能を通じた創発（emergence）[14]を人間にもたらそうとすることだったのである。

クロポトキンが考えていた倫理とはそういうものだったのだ。『倫理学　その起源と発達』は、詩人ハーバート・リードをして「史上もっとも優れた倫理学史」といわしめたとされる著作だが、クロポトキンが晩年にボルシェヴィキ政権下で公私ともに苦境にありながら、その執筆に最大限の努力を払ったのはなぜだったのか。クロポトキンはアタベキヤンに送った手紙で、いま「宗教から離れた、宗教にもまして高い道徳の基礎をつくる」ことが「絶対に必要」だからだと、その動機を語っている[15]。クロポトキンにとって、良心とは自我意識より広く深いところに宿った「無意識の良心」でなければならなかったのと同じように、倫理とは信仰をもつ者が懐く「神の前での倫理」と同じ次元で、しかもそれを超えうるものでなければならなかったのである。

そのようにして形づくられた良心あるいは倫理は、無意識に作動するものとなる。相互扶助という「無意識の良心」もそうである。およそ相互扶助というのは、あの人には前に助けてもらった借りがあるから、お返しにやってやろうとか、あの人はかわいそうだから、自分がそうなることもあると考えて、助けてやろうとか、そんなことを考えに浮かべてやるようなことではない。そこで「お返し」をしたから「借り」はなくなったというような関係にすることが目的ではなく、愛や同情を意識しておこなうようなものでもなく、むしろ、逆にそういうことを意識しない関係をさらに深めていくことが相互扶助関係の目的ですらあるのだ。

この点については、みずからネットワーカーである組織論研究の金子郁容が、ボランタリーな相互扶助組織のような参加型ネットワーク組織をめぐってのべていることが示唆的である(16)。

そうしたタイプの組織は、収益の最大化といった統一的な目的をもっていないし、その活動がいつでも従うべき明示的な目標や範型をもっていない。だから、コンフリクトがあるたびに、当事者全員が納得するような「発展的解決策」を見つけなければならない。そのために、意思決定が迅速でなく、効率的でない。それに対して、統一的な目的、明示的な目標や範型をもつ組織は、どんな場合にも、所定の規則にのっとって階層的な決定プロセスを働かせることができるから、意思決定が迅速で効率的である。ところが、こうした統制型の組織は、統一的な目的、明示的な目標や範型を超えるもの、はみ出すものに対しては、融通が利かず、無力である。それに対して、参加型ネットワーク組織は、いつも手間がかかってのろのろしているように見えるが、そうしたコンフリクトとその発展的解決の経験を積み重ねてくるにつれ、ある時点で飛躍、ジャンプがもたらされるというのだ。そして、「あるジャンプがあると『もたもた』しているはずの参加型ネットワークに、生物における反射神経のような俊敏さが生まれる」と金子はいうのである。

この「ジャンプ」が、人間集団における「創発」なのである。それは、人が組織のなかでの経験を通じて、本能における相互扶助を反射神経のように獲得した瞬間である。そして、このようなかたちで、共に探し求め共に生き合っていく共同の営み《コモン・アンダーテイキング》こそが、「無意識の良心」として相互扶助が営まれる姿なのだ(17)。

根源的な共同性と根源的な敵対性

クロポトキンは、『相互扶助論』で、動物間における相互扶助の研究から人間も相互扶助をその本能にしていることを証したあと、原始時代から現代までの人間社会における相互扶助の歴史を描き出している。これも、動物間における相互扶助の研究同様、思弁的なものではなく、人類学や歴史学が明らかにした事実を叙述したものである。しかし、こうした叙述に関して、クロポトキンは、人間相互の敵対や闘争、殺戮や戦争の事実に対して、ただそれに相互扶助の美しい事実を対置するだけで、人間がその本来の姿に目覚めさえすればいいというようなナイーヴでオプティミスティックな立場に陥っているのではないか、という批判がされてきた。

また、クロポトキンは、『近代科学とアナキズム』で、歴史を動かしてきたのは「二つの潮流」の対立だといっている。(18)その第一のものは、「少数の支配者に対抗して自分自身を擁護するために、慣習法的制度を作り上げた民衆」であり、それは人間の根源的な共同性をになって相互扶助を営んできた潮流なのである。また、第二の潮流は、僧侶・書記・軍人などを従えた少数の支配者で、「彼らは民衆を支配し、民衆を服従させ、民衆を統治し、——自分たちのために働かせるために、たがいにしっかりと団結しあい、結束している」のであり、それは人間の根源的な敵対性をになって権力を営んできた潮流なのである。このように人類史の二大潮流をきれいに分けているわけだが、これに対して、これでは、人類史の明るく輝かしい面は相互扶助を営む民衆がにない、暗い汚らわしい面は権力を営む支配者がになってきたという、単純な二分法ではないか、社会と国家の問題をあまりにも単純化しているのではないかという批判がおこなわれている。

確かに、いわれていることそのままを見るかぎりでは、そういう批判はあたっているように見える。クロポトキンには、史的二元論といえるような傾向があるのは事実だ。しかし、ここで、人間の社会が不可避的にはらんできた共同性と敵対性、そして相互扶助と階級闘争、そのふたつにつながる相反するふたつの性質の関係をいったいどうとらえたらいいのか、という問題を考えてみる必要がある。

この問題について首尾一貫したひとつの考え方としては、マルクスの歴史観が挙げられる。マルクスには二重の史観があったと考えられる。

ひとつは『ドイツ・イデオロギー』（*Die Deutsche Ideologie* 一八四七年）や『経済学批判要綱』（*Grundrisse der Kritik der Politischen Ökonomie* 一八五七―一八五八年）で展開されている「依存関係史観」（Abhängigkeitverhältnistheorie）と呼ぶべきもので、人類史は諸個人が人格的に結びついている「人格的依存関係」の段階から、商品という物象を媒介にして結びついて社会を構成している「物象的依存関係」の段階を経て、自由な個体性によって結びつく「高次の人格的依存関係」にいたる、という三段階の発展をたどるという考え方である。もうひとつは、よく知られている「階級闘争史観」（Klassenkampftheorie）で、『共産党宣言』（*Manifest der Kommunistischen Partei* 一八四八年）において端的に「これまでのすべての社会の歴史は階級闘争の歴史である」とのべられている。[19]

この依存関係史の底には、人間の歴史に内在する根源的な共同性が流れており、階級闘争史の底には、同じように人間の歴史に内在する根源的な敵対性があると考えられる。そして、マルクスは、社会の原始形態である村落共同体が崩れて階級分裂が始まって以来の歴史的世界においては、この根源的共同性はつねに潜勢態（dynamis）としてしかないのであって、現実態（energeia）としてあるのは階級闘争に具現されている根源的敵対性であると考えていた。だから、根源的共同性は、それがだんだん高まっていってやがて全面的に実現されるというふうには進まず、断絶の契機、すなわち革命による階級の廃絶がなければ実現されないというわけである。

マルクスによれば、近代資本主義社会においては、階級闘争史観から見ると、ブルジョワジーとプロレタリアートという二大階級への分裂が見られ、これが人間の歴史に内在する敵対性の、そして階級対立の最終形態である。同時に、依存関係史観から見るならば、そこにおいては、徹底した物象的依存関係が支配している市民社会と、そこから分離された幻想の共同性が支配する政治的国家の乖離が見られる。これを別の視点から見れば、資本制における階級関係は市民社会における同市民関係の上に成立し、これを国家が裏づけることによって生まれる普遍的同市民関係の仮象のうちに完成するのである。逆にいえば、同市民関係が不断に階級関係へとその内容を変換されることを通じて、市民社会における同市民関係が資本制における階級関係の公的形態になる――だから階級関係は見えにくくなる――という転回（Umschlag）がおこなわれているのである。この転回を可能にしているのが国家の幻想の共同性である。この転回を断ち切らないと、根源的共同性が市民社会のなかから実現されていくことはない。だから、プロレタリアートが階級闘争の最後の形態を闘いぬき、政治的国家を掌握する政治革命をおこなうことが先決である。――マルクスはそう考えたのである。

人間の根源的な共同性を認め、それを国家ではなく社会のなかに実現することを志向する点において、クロポトキンとマルクスは共通している。しかし、その根源的共同性は、階級社会においてはつねに潜勢的なものにとどまり、近代資本制社会では、国家の幻想の共同性に吸い上げられることを通じて、階級関係に転回されてしまう、だから根源的共同性そのものをいま社会のなかに実現しようとしてもできない、とする点で、マルクスはクロポトキンと異なっている。

クロポトキンは、人間集団はみずからが協同することによって根源的共同性を体現する部分社会をみずからつくりだす能力を本来的にもっており、それによって相互扶助と協同の秩序創出を、いま・ここで、つねになしうると考えているのである。そして、それを現実化させることなしに、国家権力を掌握してから社会を再組織することなどできるはずがない、むしろ、そのようなやりかたは新たな抑圧体制を生み出すことになる、と考えていたのだ。先に見た、あたかも史的二元論のように見えるクロポトキンの史観の背後には、こうした思想があったのである。

クロポトキンにとっては、権力をめぐる政治革命はもちろん、社会革命すらも、ひとつの結果にすぎない。問題は、むしろ、そこにいたる過程で人々の間にどのような関係が創り出されていくかにある。革命は、そのようにして革命前にすでに達成されていることを全面化させ普遍化させるものにすぎない。それに対して、革命を意識的に起こし、そこで掌握した権力によって新しい社会をつくりだそうとするような試みは、それがいかに誠実で情熱的なものであろうとも、かならず反対の結果を招き寄せる、と警告したのだ。クロポトキンはいっている。「労働者たちに対して、彼らが国家機構をそっくりそのまま保持し、ただ権力者を替えるだけで、社会主義の機構を導入できると教え、また労働者の知性を助けて、労働者に適した新しい生活形態の探究へと向かわせるかわりに、それらを妨害することは、犯罪と紙一重の歴史的誤謬である[20]」と。

そして、ここでいわれている「労働者に適した新しい生活形態」をクロポトキンは、さまざまな形態の相互扶助組織とそれが連合した協同社会として描き出したのだった。それも、思弁的に考え出されたものではなくて、一八七六年から定住したスイスのジュラ山脈山麓でいっしょに暮らし活動した労働者たちがつくっていたジュラ連合の具体的な姿から体得したものだったのだ。クロポトキンは、それを自伝『ある革命家の手記』のなかで、次のように描き出している[21]。

「新しい社会形態を構成しているのは平等な個人であって、その個人はもう自分たちを気まぐれな方法で雇いいれようとしている人間に腕や頭脳を売らなければならないというようなことはなく、新しい社会組織のなかで――すべての人に最大の幸福をもたらそうとするあらゆる努力を結合するように組みたてられ、しかもあらゆる個人がその創意を自由に思うぞんぶん発揮できるような余地が残されている社会組織のなかで――自分の知識や才能を生産に役だてることができるようになる。そしてこの新しい社会は、人間がいろいろな目的のために連合したたくさんの協同団体によって構成されることになるだろう。農業の団体、工業の団体、知識人の団体、芸術家の団体などあらゆる種類の生産を目的としてむすびついた職業連合《トレード・フェダレーション》（trade federation）。住宅、ガス、食糧、衛生施設などを提供する消費のための自治体《コミューン》（commune）。この自治体相互の連合《フェダレーション》（federation）。自治体《コミューン》と職業連合《トレード・フェダレーション》との連合《フェダレーション》。最後には、一定の地域にかぎられることなく、全国的な規模、あるいは数ヵ国にまたがる規模で、経済的必要や知的必要や芸術的必要や道徳的必要をみたすために協力する人たちの広汎なグループ。これらすべてのグループは、相互の間の自由な協定によって直接にむすびつくことになるだろう」。

これをクロポトキンは「生きた進化する有機体」と呼んでいる。また、『近代科学とアナキズム』では、地域的結合（コンミューン）と職業的結合（労働組織）と機能的結合（各種のボランタリーな組織）の三つが「自由な協約」によって連合する展望として描いている[22]。それはマルティン・ブーバーのクロポトキン論の言葉を借りれば、リヴァイアサンとして表象されるような「諸機械の結合からなる一つの機械」（machine machinarum）である近代国家に対する「諸共同体から成る一つの共同体」（communitas communitarum）である多元・連合・協同社会なのである。そして、そうであるが故に「支配なき統治」（anocracy）になりうるのだ。[23]
けれど、クロポトキンは、これを完全状態の社会だなどとは考えていない。敵対性と闘争をすべて消滅させ、完成された社会をつくろうなどとは考えていないのである。ただ共同性を優位に立たせた社会を継続していくことを考えているだけなのだ。「我々が考える社会構造は、けっして最終的な形態をとることなく、絶えず生命力を充溢させ、したがって、一瞬一瞬の必要に応じて、その形態を変えていくようなものでなければならない」とクロポトキンはいっている。[24]

マルクスがいうように国家が人間の共同性を不断に階級関係に転回して組織していっているのだとすれば、民衆は生活の場から、人間の根源的共同性を多種多様な協同団体に組織していっているのであり、このような相互扶助と協同の関係を育んでいく過程で創り出されるものこそがもっとも重要なのだ。そうしたものを創り出す努力をぬきにした階級闘争は意味がないし、生活の外から持ち込まれた革命は維持できない。――クロポトキンはそう考えたのである。

こうしたクロポトキンの思想を考えるとき、思い出すのは、ヴァルター・ベンヤミンの言葉である。ベンヤミンは、「歴史哲学テーゼ」と呼ばれている「歴史の概念について」（Über den Begriff der Geschichte）という文章のなかで、こうのべている。[25]

「階級闘争とは、洗練された精神的なものを実現するのに不可欠の条件である、粗野で物質的なものを獲得するための闘争である。それにもかかわらずこの洗練された精神的なものは、勝利者の手に落ちる戦利品のイメージとは異なるものとして、階級闘争のなかに存している。それらのものは確信として、勇気として、フモールとして、策士の智恵として、不屈として、この闘争のなかに生きており、しかもそれらのものは、遥かな過去の時代にまで遡って作用するのだ。それらのものは、かつて支配者にころがりこんだいかなる勝利にも、つねに新たに、疑いの目を向けることだろう。花たちがその頭《かしら》を太陽に向けるように、かつて在りしものは、密かな向日性の力によって、歴史の空に昇りつつある太陽の方へ頭を向けようとしている。あらゆる変化のなかでも最も目立たないこの変化を、歴史的唯物論者はよく知っていなければならない」。

ベンヤミンのいう、この「遥かな過去の時代にまで遡って作用する」「密かな向日性の力」を、「すべての人に最大の幸福をもたらそうとするあらゆる努力」を通じて「無意識の良心」として創発しようとしたのが、クロポトキンの思想の核心だったのである。それを通じて「宗教から離れた、宗教にもまして高い道徳の基礎」を創っていこうとしていたのである。

暗黙知の次元

クロポトキンは、こうした相互扶助論を「科学」として展開しようとした。『近代科学とアナキズム』で、アナキズムとは「自然科学における知的運動の不可避的な結末」であるとし、「自然科学の帰納・演繹方法によって得られた総合を、人間の諸制度に適用しようとする企図」である、としている。[26]「アナキズムは科学である」というわけだ。だが、そこでクロポトキンがいっている「近代科学」「自然科学」とは、いまこの言葉から思い浮かべられるような細分化され専門化された諸「科」の学の集積のようなものではなかったことに注意しなければならない。

クロポトキンは、自伝でものべているように、『エンサイクロペディア・ブリタニカ』に科学論文を多数書いているし、一八九二年から一〇年間にわたって雑誌『一九世紀』の「最近科学」欄を受け持って、最新の科学上の発見や新説を解説してきた。だから、当代一流の科学ジャーナリストであり、科学史家であるといっていいのだ。だが、彼がアナキズムを不可避的に導き出したといっているのは、そのような最新諸科学の知識のことではない。そうではなくて、『近代科学とアナキズム』のなかでクロポトキンが近代科学の精華として特に大きく採り上げているのは、オーギュスト・コントの実証主義、チャールズ・ダーウィンやハーバート・スペンサーの進化論なのである。また、『倫理学　その起源と発達』においても、倫理学説史の著作であるのにもかかわらず、この三人に、それぞれ相当のスペースを割いて、その思想を評価している。[27]

コントは、『社会再組織に必要な科学的作業のプラン』（*Plan des travaux scientifiques necessaries pour reorganizer la société* 一八二二年）のなかで、「人間精神の発展の三段階」として神学的段階・形而上学的段階・実証的段階を挙げている。そして、この世の事象を説明するうえでの窮極の説明原理を、この世の外のものにおく精神態度（神学的段階）、世界にとっては内在的なものだが形而下の感覚的な世界にとっては外在的なものである形而上的なものにおく精神態度（形而上学的段階）を克服して、実証的な精神によってすべてを内在的に理解する精神態度（実証的段階）を打ち立てようとしたのであり、この実証的精神に基づいて新社会の基礎になる知識の体系としてコントが構想したのが「社会学」（sociologie）にほかならなかったのだ。[28]

ダーウィンの進化論は、自然をなんらかの目的に向けて動いていくものとして見る目的論的な見方を排除し、人間を含む生物体がまわりの環境世界の変化に対して、積極的に対応しながら、何らかの均衡状態（state of balance）を求めていく営みのくりかえしによって進化が生じると考えるものだった。それは、神の創造を考える神学的な観念や、現象の背後に真の原因が隠されているとする形而上学的な観念に対して挑戦し、人間自体を対象化してとらえてしまうものであった。また、スペンサーも、ダーウィンらよりも先に「進化」（evolution）という概念を提起し、この概念を中心として自然から社会、人文にいたるまでの全領域を包括した一箇の

「総合哲学」(synthetic philosophy)を建てようとしたのである。それは細分化し専門化した諸「科」学の集積ではなく、ひとつの大文字の「学」だったのである。
このように、クロポトキンが「近代科学」として考えていたコント、ダーウィン、スペンサーの「科学性」は、いずれも形而上学に対する全面的な批判に立脚した総合科学、全体科学の性格をもつもので、一八世紀啓蒙主義が建てようとしていた「科学性」とは異なるものだったのだ。
また、クロポトキンは、ここで「自然科学の帰納・演繹方法」といっている方法を、別のところで、正確には、〈人間の社会生活を含めて全自然を包括する現象を動力学(kinetics; dynamics)の方法によって解明すること〉だといっている。[29] ここでいう「動力学の方法」というのは、大杉栄の解説によれば、いろいろな個体を比較して最低共通限度を見出し、それを個体の性質とするような「静的な方法」に対して、個体の性質の運動を調べて、その運動の進んでいく方法から個体の諸特性を推知して、個体の性質の最高概念を得ていく「動的な方法」だという。[30]
これに対して、一八世紀啓蒙主義が考えていた科学の方法とは、一切の現象を要素に分解して、しかるのちに、その要素を部品から機械を組み立てるように組み立てて全体をつくり、そうやって再構成された全体をもって全体の把握がなされたとする、というものだった。一切の現象を機械的構成として理解しようとする「静的な方法」である。[31]先のブーバーの言葉でいえば、自然や社会といった対象を「諸機械の結合から成る一つの機械」(machina machinarum)としてとらえるものにほかならない。クロポトキンが考えていた近代科学は、そういうものではなかった。

それでは、どういう科学だったのか。ここで思い起こされるのが、先ほど問題にした「創発」をキーコンセプトにしていたマイケル・ポラニーが、啓蒙主義的近代科学へのアンチテーゼとして唱えた「暗黙知」(tacit knowledge)の科学のことである。

科学は、個人の認識を超えることによってもたらされる普遍的で客観的な認識であるとする考え方に対して、ポラニーはこれを退けて、むしろ何かを明らかにしたいと思って探究する者がもつ主体的な関心と対象に対する能動的な関わり——これをポラニーは一語でcommitmentと表現している——を通してのみ、そうした知識が開示されてくるのだ、と考えた。そして、科学的知識というのは、みずからの「経験」を「能動的に形成、あるいは統合する」ことを通じて、その統合の結果として生まれてくるものなのだ、としたのである。そこに成立するのは、ただ単なる知ではなく、「知的に知ると同時に実践的にも知る」——ドイツ語でいえばwissen = können ——という意味での知なのである。[32]

それは、探求者の実践的な関心に導かれて、事実と直観、事実と志向性が、その探求者の生命の次元で結びつくところに生まれる知識なのだ。そこにおいてこそ、「知の創発」も生まれる。自分が、自分たちがどう生きるかを探るために知ろうとするのであり、そこで得られるのは、生きるための知識なのである。だから、作家が描写の後ろに寝ていられないのと同様に、科学者は事実の叙述の後ろに寝ていることはできないのだ。

クロポトキンは、そのようにして「相互扶助の科学」を探究したのである。というよりも、自分が、自分たちがこの現実のなかでどう生きていくのかを探究するために、みずからの経験を統合していったところに「相互扶助の科学」が姿を現してきたのだ。だから、クロポトキンがいう相互扶助は、単に観察された事実ではなくて、暗黙知の次元を通して現実のなかから現れてきた「原事実」(Ursache)なのである。そして、逆にいえば、そうした暗黙知の次元は、相互扶助の輪《サークル》のなかに入って経験を共有してこそ、開けてくるものだったのである。

自伝に書いているように、ジュラ山麓にいっしょに住んで活動していた教師のジェイムズ・ギヨーム、時計工のアデマール・シュヴィッツゲーベルやシュピッヒゲル、大工のパンディ、染織工のマロン……彼らジュラ連合の労働者たちの生活像を自分の「身体の内部に統合し、あるいはそれを包含しうるように身体を拡張する」ことによって、「その事物の中に潜入する(dwell in)ようになる」ことができたとき、[33] クロポトキンは新社会のイメージをまざまざとつかんだのだ。

そのときにクロポトキンに生き生きと見えていたものを、我々はいま見ることができないでいる。だが、いままた時代が新しい社会を孕んで胎動を始めているとするなら、我々はいま、ジュラのクロポトキンが立ったような暗黙知の次元に立つことによって、まだ包括的にとらえられていないさまざまな細目の間に、ひとつの像が仄かに浮かび上がってくるのを見るような内感（intimation）へと導かれていくことができるのではないだろうか。

注

（1）たとえば大日本帝国憲法発布勅語にも「和衷協同」が臣民の美風として言及されている。

（2）クロポトキン［八太舟三訳］『相互扶助』（春秋社版世界大思想全集34、一九二八年）p.16以下［同時代社版『相互扶助論』p.24以下］『相互扶助論』の引用には、筆者が読んだこの翻訳書の頁数を記すが、訳語などについては、用語や概念の統一のため、英語版原典にもとづきながら、引用者が訳し直している場合がある。その際、英語版原典は、ほかの著作を含めてアナキズムの歴史・理論のサイトAnarchy Archivesに公開されているもの（http://dwardmac.pitzer.edu/Anarchist_Archives/kropotkin/mutaidcontents.html）を用いた。また、この度の単行本収録に当たって、現在入手しやすい翻訳として大杉栄訳『新装増補修訂版　相互扶助論』（同時代社、二〇一七年）のページを［同時代社版『相互扶助論』p.〇］として付記した。

（3）これは、生命ある個体を「自然から孤立し自然に対して閉塞した一体系」ととらえるアンリ・ベルクソンのとらえかたと通じ合っている。アナキズムとベルクソンの親近性は、こんなところにもあらわれている。ベルクソン『創造的進化』（Henri Louis Bergson, *L'évolution créatrice*, 1907）参照。

（4）生存競争が相互扶助を含む広い概念であることはダーウィンも認めていたのだが（チャールズ・ダーウィン〔内山賢次・石田周三訳〕『種の起源』〔河出書房版世界大思想全集、一九五四年〕p.63「広い意味でつかう生存競争という言葉」の項参照）、この観点を充分に発展させることがなかった。それを全面的に発展させたのがクロポトキンである。

（5）前掲・クロポトキン『相互扶助』pp.21~25〔同時代社版『相互扶助論』pp.31~36〕餌をあたえあう蟻の習性など、いくつもの例示がされている。

（6）同前p.69〔同時代社版『相互扶助論』pp.94~96〕

（7）前掲・ダーウィン『種の起源』p.111　傍点は引用者。形質の分岐についての議論は、pp.94~105により詳しくのべられている。

（8）大杉栄「『種の起源』について」、大杉栄全集第四巻＝クロポトキン研究（現代思潮社、一九六四年）pp.168~169

（9）井上達夫・名和田是彦・桂木隆夫『共生への冒険』（毎日新聞社、一九九二年）pp.16~21

（10）前掲・クロポトキン〔八太舟三訳〕『相互扶助』p.11〔同時代社版『相互扶助論』pp.16~17〕　傍点は引用者。

（11）同前p.11〔同時代社版『相互扶助論』p.17〕　原文では、unconscious recognition of the close dependency of every one's happiness upon the happiness of all といわれている。〔　〕内は引用者による補足（以下同じ）。

（12）同前p.14〔同時代社版『相互扶助論』p.20〕

（13）同前p.13〔同時代社版『相互扶助論』p.19〕　傍点は引用者。

(14) 創発とは、進化論で用いられている概念で、先行する諸条件に基礎はおいているものの、それらからは直接予見することができないような飛躍が進化の上で認められる場合、そうした発展のことを指している。ベルクソンのいう創造的進化にも関係してくる概念であり、またマイケル・ポラニーは『個人的知識』(*Personal Knowledge* 一九五八年)や『暗黙知の次元』(*The Tacit Dimension* 一九六六年)でこれをキーコンセプトとして独自な概念化を施している。

(15) 左近毅「ロシア革命とクロポトキン」、『現代思想』一九七六年二月号 p.171 より重引。

(16) 金子郁容『ネットワーキングへの招待』(中公新書、一九八六年)pp.33~35

(17) 相互扶助組織としての生活協同組合において、こうした特質がいかに見られるかについて、筆者は日本型生協組織を素材に検討したことがある。大窪一志『日本型生協の組織像』(コープ出版、一九九四年)第Ⅲ章・Ⅳ章参照。

(18) クロポトキン〔勝田吉太郎訳〕『近代科学とアナーキズム』(世界の名著22、中央公論社、一九六七年)pp.441~443『相互扶助論』同様、訳語などについては、用語や概念の統一のため、英語版原典にもとづきながら、引用者が訳し直している場合がある。その際、英語版原典は、ほかの著作を含めてアナキズムの歴史・理論のサイト Anarchy Archives に公開されているものを用いた。
(http://dwardmac.pitzer.edu/Anarchist_Archives/kropotkin/science/toc.html)

(19) マルクス=エンゲルス『共産党宣言』、大月書店版マルクス・エンゲルス全集第4巻 p.475

(20) 前掲・クロポトキン『近代科学とアナーキズム』p.546

(21) クロポトキン〔高杉一郎訳〕『ある革命家の手記』(岩波文庫版 原著 P. Kropotkin. *Memoirs of a Revolutionist*, 1899)pp.209~210

(22) 前掲・クロポトキン『近代科学とアナーキズム』p.520, p.542

（23） Martin Buber, *Paths in Utopia*, English version 1950, p.39, 43

（24） 同前 p.546 また、クロポトキンは、「協同組合は、就中英国においては、しばしば『株式個人主義』だといわれている。また今日あるがごとくんば、それはたしかに独り広く共同社会にのみならず、また組合員自身の間にも、協同組合的利己主義を養成するの傾向がある」とのべて、協同組合が集団的エゴイズムに陥る危険性を警告していた（『相互扶助論』p.214〔同時代社版『相互扶助論』pp.277~278〕）。また、自発的協同団体の連合社会においても反社会的行為が起こるだろうと考えており、理想社会という観念から自由だった。

（25） ヴァルター・ベンヤミン〔浅井健二郎訳〕「歴史の概念について」、『ベンヤミン・コレクション1 近代の意味』（筑摩書房、一九九五年）pp.647~648

（26） 前掲・クロポトキン『近代科学とアナーキズム』p.553

（27） クロポトキン〔八太舟三訳〕『倫理学 その起源と発達』、クロポトキン全集第一〇巻（春陽堂、一九二八年）参照。

（28） オーギュスト・コント〔霧生和夫訳〕『社会再組織に必要な科学的作業のプラン』（中央公論社世界の名著46、一九八〇年）pp.80~84 参照。コントのいう「社会学」は今日の「科」学としての社会学とは、およそ別物であった。

（29） 前掲・クロポトキン『近代科学とアナーキズム』p.480 及び脚注参照。脚注で示唆しているように「動力学」と訳したほうがいいので、引用文はそう改めてある。

（30） 大杉栄「生物学から見た個性の完成」、大杉栄全集第四巻＝クロポトキン研究（現代思潮社）p.172

（31） 下村寅太郎「魔術の精神よりの近代科学の成立について」、『科学以前』（弘文堂書房、一九四八年）pp.30~31 参照。

（32）マイケル・ポラニー［佐藤敬三訳］『暗黙知の次元』（みすず書房、一九八〇年　原著 Michael Polanyi, *The Tacit Demension*, 1966）pp.18~19

（33）同前 p.33「暗黙知の科学」では、このように、目にしているあるものA（ジュラ連合の労働者たちの生活像）を「近接項」といい、到達されるべきものB（新社会のイメージ）を「遠隔項」といい、近接項から遠隔項へと注目がおこなわれること（attending from A to B）をもって「暗黙知の機能的構造」ととらえる（同前 pp.24~25）。そして、この構造を成り立たせるためには、探求者がみずから近接項へ「潜入」（indwelling「内在」でもある）することが必要であり、それはまた近接項への「共感」（empathy「感情移入」でもある）ということでもある、とされている（同前 p.33）。

いまクロポトキン『相互扶助論』を読み直す

――「新しい中世」の時代

聞き手：米田 綱路（よねだ こうじ）
一九六九年、奈良県生まれ。大阪大学大学院言語文化研究科修士課程修了。新聞記者、書籍編集者を経て、現在、図書新聞スタッフライター。主な著書に『モスクワの孤独――「雪どけ」からプーチン時代のインテリゲンツィア』（現代書館）、『脱ニッポン記――反照する精神のトポス』上・下（凱風社）、『ジャーナリズム考』（同）など。近刊に『カール・ラデク――20世紀東欧世界の革命家』（仮）。

ランダウアーとロマン主義的社会主義

──大窪さんが書かれた『「新しい中世」の始まりと日本──融解する近代と日本の再発見』（花伝社、二〇〇八年）は、近代の行き詰まり、近代の超克や反近代を含めた「新しい中世」の展望を示されています。それは進歩史観や近代主義、科学主義などの千年王国的な発展史観ではない社会の展望ですね。

大窪さんは一九世紀終わりから二〇世紀初めの世紀転換期を生きたドイツのアナキスト、グスタフ・ランダウアーの『レボルツィオーン──再生の歴史哲学』（同時代社、二〇〇四年）を訳されていますが、ランダウアーの生きたこの時代は、ドイツで近代批判や反近代を含み込んだ〈モデルネ〉の問いがあって、アナキズムや生改革運動、菜食主義などの運動は、ある意味では「新しい中世」の運動としてあったわけですね。

今回新版として出されたクロポトキン著・大杉栄訳『相互扶助論』（同時代社、二〇〇九年）で、大窪さんは解説を書かれていますが、この相互扶助も近代の行き詰まりを越える「新しい中世」の人間の結びつきとして考えることができるのではないかと思います。

大窪　解説には書きませんでしたが、おっしゃるとおりのことを考えていました。僕は一九二

○年代の思想状況というのは、いまもう一度考えられるべきだと思っているんです。それは、あのときが近代の行き詰まりが全面的に思想の俎上にのったときだったからです。それについてはファシズムやナチズムをも含めて考えなければいけないと思うんですね。それらを含めて二〇年代思想は、近代への切実で真剣な問いかけを含んでいた。ドイツの場合、それは前世紀末からの思想の継承なんですね。ところが、この時代に出てきたことが、一回封印されてしまったでしょう。それは、ひとえにナチズム、ファシズムが生んだ惨禍のためだったわけです。こんなことになるんだったらごめんだとばかり、二〇年代の根源的な問いかけが封印されて、近代ヒューマニズムにもどってしまった。いま、その封印が破られなければならないときに来ているんじゃないか。

――ランダウアーもそうですが、たとえば「フォルク」の問題がありますね。世紀転換期に彼らが生きていた時代には、民族とも人民とも訳されるフォルクには、ナチズムと結びつくような民族的、人種的なフェルキッシュな要素と、ユートピア的な要素が未分化に混ざり合っていて、ワンダーフォーゲルなどはまさにそうですが、社会主義やコミュニズムにも、ナチズムにも、どちらにも派生していく要素をもっていたわけですね。

ともに共同体的で、反都市主義や自然回帰、エコロジーの思想が胚胎していた。ランダウアーなどはまさにそうですが、入植して社会主義的なコロニーを作るアナキズムの思想もそこに生まれていきます。生活そのものを改善し、ベルリン近郊のフリードリヒスハーゲンや、スイスのアスコーナなどに相互扶助の共同体を作る運動も生まれた。最終的にはナチズムに行くような人種主義や北方ゲルマン神話や有機体的なフォルクの共同体の思想や、あるいはドイツ共産党に流れ込んでいくようなコミュニズムの思想も、そこには含まれていた。

それらをばっさり断ち切って、ファシズムか反ファシズムかと分類するような、一九三〇年代以降の後付け的なイデオロギーで見ると分かりやすいけれども、それほど単純なものではない。その枠組を越えたところで、つまり近代主義を越えたところで、民族共同体やフェルキッシュな思想運動、アナキズムや共産主義的な共同体との絡みで、いま相互扶助や共同体の問題を考え直す必要がありますね。

大窪　たとえば初期ナチズムには、ランダウアーの考え方と紙一重のところがあるんです。初期ナチズムのイデオローグだったオトマール・シュパンやエトガー・ユング(1)を見ると、それがわかります。だから僕は、もともとフェルキッシュなものが発展していくとナチズムになるとは思わないんです。フォルクの観念をもっと広くとらえるべきです。むしろナチズム発展過程で、フェルキッシュなものはいったん切れたのではないか。そして、メカニックなものが全面に出てくる。シュトラッサーやレームを粛清したところに初期ナチズム運動は終わってしまって、そこでかなり変わったんじゃないかという気がします。

ただ、これはランダウアーにも感じるんですけども、ロマン主義の問題性というものがあると思うんです。フェルキッシュなものはドイツの場合、ドイツ・ロマン主義の流れのなかで出てきているわけでしょう。ですが、ロマン主義的な反近代でどこまで行けるのか、という問題があると思うんですね。

僕はランダウアーのことをアナキストと言わないで、ロマン主義的社会主義者だと言ったのは、やはりロマン主義がランダウアーの根底にあって、それが左に出てきたと思ったからです。左翼ロマン主義というのは、それ自体としてはかなり問題があると思っているんです。にもかかわらず、同時にロマン主義は、いままでにない何かの優れた媒介にはなるはずだという想いも消せないんですね。

だけど、クロポトキンたちの線というのは、ロマン主義ではないんですね。ロマン主義ではないアナキズムであって、そこでは啓蒙主義に対するアンチとしてのロマン主義というのは否定されているのではないかという気がします。クロポトキンも『田園・工場・仕事場』などで、自然的な欲求、必要を最小限の労働で満たす手法を探って、ウィリアム・モリスのような考え方を出しているけれども、それはクロポトキンの言葉でいえば「社会生理学」「欲求の科学」であって、ロマン主義ではないのではないか。

それからもう一つ、反ロマン主義において、全然違った線で、キェルケゴールとカール・シュミットが一つの線をなしているのではないかと考えています。キェルケゴールもシュミットも、もともとはロマン主義と紙一重だったところがあるんです。キェルケゴールは実はヘーゲル左派に対する共感を強くもっていて、カール・レーヴィットやヤーコプ・タウベスなんかは青年ヘーゲル派のなかに数えているほどなんです。キェルケゴールの『哲学的断片』や『哲学的断片への非学問的後書』なんかでは、裏返されたかたちで表現されていますが、意外とフォイエルバッハやシュトラウスに対する評価が高いんです。シュミットも、もともとマックス・シュティルナーに大きな影響を受けているし、最後までブルーノ・バウアーを高く評価し続けた。そういう一種アナキズム的で、ロマン主義と紙一重のようなところを若いころに経過しながら、二人とも最終的にはロマン主義に対して厳しい批判をしている。

キェルケゴールは、はっきりとロマン主義ではだめだという考え方ですね。シュミットの場合は、ロマン主義は啓蒙主義に対するアンチとして出てきたけれども、結局は一九世紀の経済の時代への橋渡しになっただけだという評価をしている。ロマン主義というのはそういう役割を果たすものでしかありえなかった、むしろロマン主義があったから経済の時代になったんだという意味のことを言っているんです。

僕は、啓蒙主義から経済の時代への移り行きが近代の決定的な転回点だと考えているんで、これは非常に重要だと思うんです。ですから、その点からランダウアーのようなロマン主義的社会主義を考え直してみる必要があると思っているんですね。

アナ・ボル論争にたどり着く

――ユートピア的な社会主義にしても、またナチズムなどフェルキッシュな思想にしても、共同体へと傾斜していく時代の思想について考えてみると、自立したオートノミックな個人と、そうした共同体とが矛盾せず、一方を打ち消すことなく存在しうるのかどうか、という問題がありますね。クロポトキンの相互扶助もそうですし、そのドイツへの紹介者であるランダアーにしても、相互扶助が個人の自律によって成立するという考え方ですね。

共産主義的なユートピアが、スターリン主義に行き着くと、個人を消して「われら」の全体主義的な共同体に転化してしまう。しかし、ナチズムの場合はまさにそうですが、その「われら」が単なる強制的均一化だけでなく、一方ではフォルクへの一体化という参加と、ある種の解放をもたらしたという問題があるように思います。スターリン主義においても、テロルによって恐怖に駆り立てられ、強制的に全体主義へと追い込まれていった側面ばかりではなく、「新しい人間」がつねに「人民の敵」や「クラーク」「トロツキスト」といった敵を必要としながら共同体を構成していった側面がある。アトム化されてしまった人間が、「われら」の共同体へとのめり込んでいく時代の幕開けに、相互扶助の思想があったわけですね。

おそらく大窪さんは、ご自身の一九六〇年代からの共産党経験を踏まえて、それを批判的に自己検証していかれるなかから、共同体と個人の問題を追求してランダウアーやアナ・ボル論争に行き着かれたのだと思いますが、いかがでしょう。

大窪　『素描・1960年代』（川上徹氏との共著、同時代社、二〇〇七年）にも書きましたけれども、僕の若いころの思想遍歴は、思想といえるほどのもんじゃないけど、もともと個人主義・自由主義から始まったんです。僕らはいわゆる戦後教育を受けた世代ですが、いま戦後教育は悪く言われているけれども必ずしもそうではなかったと思うのは、僕らはあの頃に、教師たちから、個人としてちゃんと自律して、みずからが判断し決断できる人間になれ、みんながそうなれば、自分たちで自分たちを統治できる自由な社会ができるんだということを、すごく言われたわけです。戦争に負けたことを契機として、君たちこそが自由な社会をつくれる大人にならなければいけないという教育を受けたんですね。

ただ現実の日本社会は、なかなかそういう状況じゃなかった。個人主義が確立していかないし、それどころか個人主義や自由主義自体がいろいろ誤解されて変なものになっている。いろいろ考えているうちに、先輩や友人たちを通じて、マルクスなんかの考え方がワッと入ってきた。個人主義・自由主義ならアナキズムに行きそうなもんですが、僕のまわりにはアナキズムの影響は全然ありませんでしたね。

自由になるには、個人の自由をただ言っているだけではだめで、この社会そのものを大きく変えなければだめだ、変えるためには社会運動に入らなければだめで、自由を手にするためには、みずから自由を捨てなければいけない、ということになっていった。いまここで自分が自由を手にすることは考えないで、根本的に自由な社会を創るためにはどうしたらいいのかだけを考えて、そのために行動することが必要なんだということになっていったわけですね。

もはや近代の自由・平等・友愛を理念として掲げてやろうとしても、できない状態になっている。実現するには、その理念を現実化するためには革命しかない。だから、どういう革命をどうやって起こしたらいいかということをはっきりさせて、そのために目的合理性で動くしかないんだ、というふうに手段的価値の連鎖をたどっていく。そういうふうにどんどん絞っていくという考え方でやってきた。これは、言ってみれば非常に近代的な考え方だと思うんです。まったく近代的な思考方法ですよね。

それでいろんな党派の人たちから話を聞いて、あれを読め、これを読めと勧められて読んで、いくつかの党派にくっついたり離れたりしたけれど、結局いちばん可能性があると思ったのが、共産党だったんです。共産党の組織のなかに自由なんかないということは承知で、官僚主義があるということも知っていたけど、それでやるしかないと思って入ったわけですね。手段的価値による絞り込みでそうなっていった。

ですが、『素描・１９６０年代』に書いたようなことがいろいろあって、共産党をやめた。だけど、まだ左翼です。けれど、そのスタンスでやっていくなかで、結局、そういうふうに絞り込んでいく考え方自体がまちがっていたんだ、と思うようになったんです。権力を取ったボリシェヴィキが何をやったか、という大きな問題もあるけれども、それだけじゃなくて、現実に運動をやっているなかで、左翼組織はどんどん人格をだめにしていく。これは共産党に限らず、僕らの周りにいろんな党派があったけれども、みんなそれぞれ違うかたちではあれ、人格をだめにしていくわけです。これはいったいどうしてなのか。

そうして、日本の左翼というのは、思考方法そのものがまちがっているのではないかと思うようになって、どこからどうしてこういうふうになったのかを考え始めたんです。いろいろな社会運動をしている一人ひとりの人たちには、立派な考えをもっていて共感できる人もたくさんいるのに、どうしてこうなるのか。上にまちがった人、悪い人がいて歪めているということだけでは必ずしもないんですよ。そうだったら簡単なんですけどね。確かにそういう人たちもいるんだけど、それだけじゃない。どこに問題があるのかを考えて、論争をたどりながらどんどん遡っていった。そしたら問題は、日本の左翼のいちばん初めの、大杉栄と山川均のアナ・ボル論争のボルの方にあったんではないかと気づいたんです。

「新しい中世」と個人

——それで改めて、『アナ・ボル論争』（同時代社、二〇〇五年）を編集・解説されたわけですね。

大窪　ええ。あれを編集したときよりもずっと前、一九九〇年代終わりころに、アナ・ボル論争をちゃんと読み返してみて、ボルはいちばん最初から発想がおかしいと思うようになりました。大杉が全面的に正しいということではないけれども、大杉がボルに対して指摘している点は、僕の左翼経験に照らして、ほとんど当たっている。結局これが、僕らと僕らの後の惨状を生んだ基だと思いました。だから、アナキズムによって日本の左翼を相対化しようと考えて、アナキズムの本をあらためて読んでいったんですね。

そのうちに、それとは独立に、日本の左翼だけではなくて、マルクス主義およびマルクス主義周辺の運動が、根本的に近代的な性格をもったものだと考えるようになりました。近代の良いところと悪いところを両方もっている。しかも、その近代ももう終わりなのではないかと思うようになった。

近代の終焉とは、近代が発展していまだかつてない時代に入るということなのか、それとも近代が破綻して元に戻るということなのか。僕は、新しい時代なんだけれど、元に戻らないと新しい時代がちゃんとできないと考えた。だから「新しい中世」なんだと考えたわけです。つまり、一方で中世に戻りながら、他方で新しい時代を拓く。それはまさにクロポトキンなんですよ。クロポトキンが『相互扶助論』で示した社会構想は、本質において完全に中世社会の自覚的再興ですからね。

僕は「新しい中世」という考え方でクロポトキンに行き着いたんですが、今も左翼の友人からは、「お前は反動だ」と言われています（笑）。中世に戻れというわけですからね。でも、僕はそれを否定しないで、はっきりと反動であるというべきだと思います。きわめて衰勢化してもう終わっているはずの近代が、めくれあがって近代精神とは反対のものに変質しながら、狂ったように続いていくという方向に対して、反動をかけないとだめです。クロポトキンも、マルクス主義の人からは反動と言われたわけでしょう。レーニンなんかも、クロポトキンの人柄は高く評価していたけれど、「大ロシア人の民族的誇りについて」という論文なんかでは、反動として罵倒している。(2)だけど、僕はやっぱり反動が必要だと考えます。

ただ、どうやって反動を実現するのかは非常に難しくて、結局僕は、遠回りに見えるけれど、先ほど米田さんが言われた個人の問題を捉え直すべきだろうと思っています。近代が根本的にまちがっているのは、近代的個人という考え方においてなのではないか。最初から僕は自由な個が基盤になった社会を目指していた。それが本当に解放された社会だと思っていたんだけれども、その時、自由な個というのは、近代的個人だと思っていたんです。でも、近代的個人を基盤にして有機的な社会はできないということが分かってきた。むしろ、いつまでも近代的個人を基盤にしようとしているからだめなんじゃないか。

では、個人という基盤を捨てるのかと。そこでいろいろ考えているうちに、ニコライ・ベルジャーエフ、マルティン・ブーバー、グスタフ・ランダウアーなんかに次々と出会ったんです。彼らから得たのは、近代的個人は自由な個ではない、むしろ中世に出てきた非近代的な個人のほうが自由な個なんだということなんです。ランダウアーにしても、『レボルツィオーン』ではははっきりと書いてはいないけれども、中世に出て来た個人は近代的個人とはちがうんだという考え方です。中世に生まれた個人というのは、ギルドやツンフトや都市自治体の中にあってそれらを自覚的に構成している個人です。地縁や血縁など、自然的な条件の中に閉じこめられているんではなくて、そこから出た、それぞれバラバラな個人が、職能団体や自由都市で自治的に結合した、そういう結合力をもった個人です。

ヨーロッパの場合、封建制の中でそれができるためには、団体権として認められないといけないわけですが、この結合体においては、個人自体が自治団体を通して自己統治している。あくまで部分社会においてであって、全体社会の自己統治ではないけれども、自己統治している。そうした自己統治においては、個人は団体の一部として個人の権利をもっている。そういうかたちで、一つの部分社会の内部で全体と個人の関係が成立しています。この時の個人というのは、社会形成力、共同体形成力をもっている個人だと思うんです。むしろ、みずから共同社会を自覚的に形成するためにあるような個人のありかたですね。

ところが、その後の絶対主義になってくると、王権が主権というものを主張するようになり、絶対王権になる。さまざまな権利の上に立つ、至高の権利としての主権を主張するわけです。そこに一元化しようとする。しかも、人格的な存在としての王がこの主権をもっていると見なす。団体権はこれと抵触するわけですね。そこで絶対王権は団体権を潰そうとしてくる。

この時に、まったく別の流れとして個人主権という考え方が出てくるわけです。たとえばユベール・ランゲやブキャナンなんかのモナルコマキ（暴君放伐論者）のように、王権を打破することで個人が権利を確保するという、プロテスタンティズムの影響が強くある個人主権論が出てくる。絶対王権は人格的なものであったから、人格的権利というところで個人に変換することができたんですね。つまり神と自分の人格的関係こそが信仰の要諦である以上、王権神授説に基づく絶対主権ではなくて、信仰によって義とされる個人主権こそが神によってあたえられているんだという考え方も出てくるわけです。こうして、団体権、絶対王権、個人主権の三つがおたがいに争うことになった。

こうして、個人主権が絶対王権を自分のものにする、つまり絶対王権のような主権、至高の権利を、個人主権の集合体としてもつようになる。これが近代民主主義の始まりだと思うんですが、ここにあるのはもともと基本的には神との関係で、神学的な構成であるわけです。ルターの『現世の主権について』が神の主権と現世の主権を分けて、どちらも神によってあたえられたものだとして「二王国論」を立てた。しかし、これだと現世の主権が信仰を抑圧してくる場合どうするのかという問題が出て来て、そこには矛盾があるわけです。その矛盾をなくすかたちで、そこからやがて出てくるのが、絶対王権の考え方を変換した個人の主権、その集合としての人民主権という考え方です。そしてこちらの方も、団体権を否定して潰そうとしてくるわけですね。この主権的個人が、近代的個人の基だと思います。結局、これがさまざまな社会契約説と結びつき、特にジョン・ロックの所有権的個人の概念と結びついて、近代的個人のありかたが形成されていったわけです。

絶対王権については、マルクスも進歩的なものだと言っているし、ここから近代が始まると言っている。ですがその時に、これとは別に団体権を基にした個人を立てていくことはできたはずなんです。それをやったのは結局、アナキズムの系統の人たちですね。アナキストのなかにも、近代的個人を立てた人たちもいますが、みんなが近代的個人の方に行っている時に、あい変わらず団体権をもつ部分社会を論理的に分解したものとしての個人ということを言い続けた人たちがいた。そして、ギルドや都市自治体などをズタズタに壊された後に、もう一度それを創ろうとした。クロポトキンなんかがその代表です。

ですから僕は、近代が終わったところで、もう一度そうした個人に戻ろうとすることが大事なのではないかと思っているんです。相互扶助というのもそういうものなんであって、個人ではなくて全体というのではなくて、自由な個と生きた全体が相即するようなものとして結合体を創っていこうとするものとして、相互扶助を考えるわけです。

今回、『相互扶助論』を読み直して大事だと思ったのは、クロポトキンが昔の嬰児殺しと姥捨てのことを書いているところです[3]。共同体の中で、親は自分の子どもに対してものすごく愛情をもっている。それから子は自分の親に対してものすごく愛情をもっている。にもかかわらず、自分の子どもを殺さなければならないし、親を捨てなければならない。これはクロポトキンのいう「必要の絶対的圧迫」にもとづく慣習とタブーによっているわけですが、それをいまの人たちは迷妄や無知と見るわけです。人類学者たちは、彼らがほかの点ではきわめて道徳的に高いのに、なぜこんなことをするのかを解明することができないとクロポトキンはいっていますね。道徳的に高いからこそ、こういうことを自らの手でするんだ、ということがわからないんですね。たしかにいまは、子どもを殺さなくていいし、親を捨てなくてもいいかもしれないけれども、実際には国家のシステムに乗せて、共同体の中で生きられなくなった人を外に出して姥捨てをしているだけじゃないですか。先日の群馬県渋川市の老人ホームの火災は、そういうことがおこなわれているのを明らかにしたわけでしょう。(4) 僕が昔セツルメントの活動をしていた山谷も、いまはそういう生活保護を受けている独居老人の姥捨ての場になっている。

自分たち自身で嬰児殺しをし、親を捨てなければいけないという方が、自分たちの肉親や共同体の人間に対する愛情や結合を強めるものであるし、もともとそういう行為自体が実は愛情の表れなんだということが、国家に包摂されて自分たちの社会を失ってしまっているいまの人たちにはわからなくなってしまっている。国家という疎外された共同システムにのせることで問題を外部化してしまうんではなくて、自分がやらなければいけないということになれば、共同体自体の政治が成り立ってくると思うんです。ですが、いまは市民社会自体には何の政治も成り立っていない。いくら空疎なかたちで自己責任といったって、何の自己責任も成り立ちようがないと思うんです。それはもはや社会ではない。

だから、そうではない、みんなが自分で責任をもたなければならないし、もつことができる共同体に戻るためには、僕らが自分たちで自分たちの社会を創ろうとしていかないといけない。それを、いまここで具体的なかたちでやっていかなければならない。そういうかたちで、社会から疎外された国家の政治ではない、自分たち自身の政治、自己統治としての政治をとりもどす営みこそが必要なんじゃないか。それがクロポトキンの言う相互扶助ということだろうと思うんです。

神が抜け落ちてしまった近代の挫折

――「新しい中世」を考えたベルジャーエフは、ソロヴィヨフの「神人」の影響を受けていますが、その「神人」が転倒して、神との関係がなくなり、人間が神になってしまう「人神」へと至るなかに、地上のユートピアを目指した共産主義の問題を指摘しています。個人を支えているはずの人格がズタズタにされて、精神のないコレクティヴィズムに行き着いてしまう。ここに、個人主権が絶対王権を自分のものとし、近代的な個人が生まれ、それが団体権をもつ共同体を破壊していく問題と通底するものがあるように思います。

大窪　オーギュスト・コントは、中世から近代になっていく段階を神学的段階、形而上学的段階、実証的段階の三段階で説明しました。この最後の実証的段階で、もう一度有機的社会ができるという展望を示したわけです(5)。その有機的社会は、実は宗教的紐帯をもつことによって有機的なんです。コントはそこで、中身はほとんどカトリックなんだけれど、人類教というものを作るわけです。一方で大文字の「学」としての実証主義協会を作り、もう一方で宗教としての人類教の教会を造って、みずから協会の会長になり、教会の大司祭になるわけです。

一方でヘーゲルが、欲望の体系としての市民社会へと分解されたものを、もう一度組み立てていくことを考えていきます。そうしてそれが人倫の共同体としての国家になると考えるんですが、これもコントと同じだと思います。分解した末に、それを組み立てて、最終的に有機的国家にする。ここでヘーゲルは国家、コントは社会といってるけど、国家の方から行くか、社会の方から行くかという話であって、いずれにしても有機的な共同体になるはずだった。たぶん、啓蒙期においては、近代というのはそういうかたちで完成されると考えられていた。カントなんかもそうで、初期のカントは、近代社会は世界共和国になると考えていたわけです。そういうものが近代の展望だった。ところが、そうはならなかった。これが近代の最初の挫折で、そうならないことが最終的に明らかになったのが、一八四八年革命のときだと思います。マルクスも、ここでブルジョアジーはもうフランス革命以降の革命を推進する力を失ったと言っている。これからはプロレタリア革命しかないという連続革命の考え方です(6)。

では、なぜそこで有機的な共同体にならなかったのかという問題がありますよね。非常に簡単に言うと、やはり世俗化してしまったからです。世俗化が進むことによって、合理化が進み、中心が喪失されていって完全に人間本位になって、もはや中心に米田さんのいった「人神」を立てるしかないところまで状況は進んでいってしまった。ニーチェが「神は死んだ」と言ったのは、その啓蒙期の世俗化の結果を指しているんだと思いますが、神ではなくて人間的なものにこそ意味がある、さらにはそこにしか意味はないのだということになっていって、ヨーロッパにおいては神が空洞化してしまった。神は理神論の装置としてしか残らない。[7] しかし近代というのは、神を元々の出発点にして、それをパラフレーズしながらやってきたわけでしょう。ところが、パラフレーズの中で、そこから神が抜け落ちてしまった。そこにすごく大きな問題があります。これが根本的な問題だと思います。

それから、さっき言ったロマン主義の限界もここにあると思うんですね。世俗化を決定的に進めた啓蒙主義のアンチとしてロマン主義が出てくるわけです。ところがロマン主義も、世俗化した状況をそのまま踏まえているから、シュライエルマッハーにしても、やはり内面の敬虔な感情が宗教にとってはいちばん尊いものだと考えてしまう。人間的な内面に解消してしまう。キェルケゴールやシュミットが批判しているのもそこのところでしょう。

姥捨てや嬰児殺しをして共同体を保っていく氏族を支えていたのは、根本的には宗教的なものです。それを無知や迷妄と考えたことが、近代の啓蒙主義を経た人間のいちばんの問題だと思います。ソロヴィヨフやベルジャーエフもそうだけれども、トルストイもそこで宗教の復活を言うわけです。そして『神の国は汝等の裡にあり』に示されたような宗教的アナキズムを立てた。クロポトキンは科学者だから、宗教ではないと言っているわけですが、彼が最後に書いた『倫理学』を読むと、まあほとんど宗教ですよ。さっき言った慣習やタブーというものを、感情や論理を含めた物の考え方として作り上げようとしているんですね。もともとそれは宗教によってしか支えられないものだと思うんだけれども、宗教を超えたかたちで、つまり神というものを考えずに作ろうとしている。だから、言ってみれば、コントのカトリック・マイナス神の人類教のようなものなんです。そういうかたちで、世俗化された中で新しい宗教的な感情を作り出そうと努力している。だけど、クロポトキンは神ということを言わないから宗教的ではないとは僕は思わない。言おうが言うまいが、彼はそのことを考えていたんだと思いますね。

千年王国型とユートピア型

――ロシアのナロードニキが理想化し、晩年のマルクスが注目した農村共同体のミールや、ベルジャーエフたちが重視した宗教的なソボールノスチ(8)のような、単線的な進歩史観では迷妄としか位置づけられない共同体は、ロシア共産主義のなかで換骨奪胎されて全体主義になっていくわけですが、近代主義でははかることのできない共同体の意味をどう考えるか。ランダウアーにしても、自然への回帰というと語弊がありますが、世俗的なものからの脱却とロマン主義的な共同体への志向があるように思います。それを抜きにして相互扶助を考えることはできないと思うのですが。

大窪　そうだと思います。だけど、ロシアでいえば、僕は、ボリシェヴィズムというのも、ももともとは神学的段階において神と表現されていたものの世俗化されたかたちを端的に問題化したものだと思うんです。そして、それは実はものすごく古くからある思考パターンを踏襲したもののように思えるんですよ。マックス・ヴェーバーは、『古代ユダヤ教』の中の「終末論と予言者」という章で、神義論の二類型ということを言っているんですね。神義論とは神の正義とは何かという問題ですね。古代ユダヤ教において神義論として問題とされたのは、簡単に言えば、ユダヤの民は神と契約を結んでそれを履行しているのに、非常に理不尽な災いを受ける、これはどうしてなのかということなんです。この時の神の正義はいったいどこにあるのか。そういう問題です。これに対して、預言者たちがどう答えるかをヴェーバーは論じています。ヴェーバーは、そこには二つの類型があると言っているんです。

一つは、民は契約を守っているように見えるけれども、神との契約を誤解している。誤解してやっているのに気がつかないんだ。それに対して神がちがうじゃないかと言っているのが、お前たちが受けている災いなんだ。だから、それに気づいて神との契約の意味を捉え直す必要がある。それによって民が考え方を変え、生き方を変えれば、神は災いを起こさず、契約は果たされる。これが神義論の一つの類型です。

もう一つの類型は、災いをいろいろ起こしているのは、神の計画だというわけです。その計画というのは、ユダヤの民を契約に従ってすべて救済しようという計画なんだけど、その救済をどうやって行うかという計画の中身については、我々人間にはうかがい知ることができない。それで神がみずから動いて、我々には分からないかたちで介入してきて、最終の結果においては良いことになるんだけれども、過程においてはいろいろ災いを与える結果になっているんだというわけです。

この後者の類型は、最終的には、神の計画が我々にもはっきりと分かる時が来る。それが、この世の終わりの時であって、その時まで神に対する信頼、つまり信仰をもち続けていくなら、この世の人間は全部救われるという話なんです。

この二類型はその後もずっとある。古代にも中世にも神には二つのイメージがあって、一つは智恵としての神で、ラテン語でサピエンチア（sapientia）としての神です。これはかならずしも汎神論ではないんだけれど、神は世界の内に遍在しているんだが、我々には隠れていて見えない。我々がそれを見ることができるならば、どうしたらいいかが分かる。ただこれは、全員が分かったりすることはできない。ある方向に生き方を変えれば、隠れていた神が顕現してくることがある。これにはごく限られた人間にしかアクセスできないけれど、偏在している智恵としての神がある。生き方を変えることによってそれを見ることができた者が、いまここでの救いに与ることができる。それが智恵としての神という考え方です。

もう一つは、啓示としての神という考え方で、こっちの方が主流なんだけど、アポカリプシス（apocalipsis）としての神です。これによると、基本的には、神は絶対的他者として外にあって、必要な時には介入してくるという考え方です。その介入によって、歴史がいろいろ動いていく。さっき言った、神の計画があるんだけど我々には計り知れないというのと同じです。そして神は、介入してくる時にいろいろな人間を使う。たとえばモーセのような者を使って民を導いていくというようなかたちになるわけですね。そういうふうに預言者に啓示を与え、そして民を導いていく。それが、外にいるんだけれども、内にいる人間を使って、生きて動く神です。

つまり、さっき言った神義論が、こうした神の二つのかたちになってくるわけです。ちょうど一九二〇年代のドイツで、アルフレート・ドーレンという人が『願望空間と願望時間』（Wunschräume und Wunschzeiten）という論文を書いていて、これはカール・マンハイムの『イデオロギーとユートピア』の中で使われています。昔、中央公論社から出ていた雑誌『海』に、この『願望空間と願望時間』の一部が訳されて、それを読んでおもしろいと思ったんですけれど、この願望時間と願望空間という概念がちょうどいま言った二つの類型に対応しているんです(9)。

願望時間は啓示としての神に当たるもので、外にあるものであって、人間が本当の世界を求めていく時の方向としてあるものです。いつかは実現できるはずで、そのときには全体として一挙に実現されるものなんだけど、それはいまここでは部分的にも実現することはできない。もう一つの願望空間は智恵としての神に対応するもので、内にあるものであって、いまここで実現することができる。いろんなところに部分的に実現することはできるが、しかし全体として実現することはできない。つまり、願望時間は全部が実現できるんだけれども、いますぐというわけにはいかなくて、時が熟して、世の終わりが来た時に実現するというものであるのに対して、願望空間はいまここで実現できるけれど、一部においてでしかない。

ドーレンは、願望時間の方を千年王国型、願望空間の方をユートピア型と名づけたんです。中世においても、この二つの類型で考えることができるんですが、近代革命においては、マルクス主義のようなプロレタリア政治革命像が千年王国型のチャンピオンで、アナキズムおよびアナルコサンディカリズムのような社会革命像がユートピア型のチャンピオンというふうになったと思います。

そこで、全体が救われて、全てが新しい社会になるためにどうするかという話なのか、それとも、そんなものは最終的にはないのであって、できる人がいまの時点でできるだけいろんなものを創っていくということなのかというときに、問題なのは、米田さんが言ったように、どこかに入植して何かを作るというようなことがどれだけ有効なのかということです。

千年王国型革命像からすると、以前の社会はみんな不完全なものでだめだという話になるわけでしょう。でもユートピア型革命像ではそうではなくて、その時その時の条件の中で、それなりにみんなちゃんとした共同社会を部分的にではあれ創ってきたという話になる。その共同社会が崩れても、そのなかの一部がちゃんと継承して、また新しい社会を創っていくという考え方です。

やはり僕は、いつか全てが救われて「新しい社会」になるというのは近代によくマッチした考え方だと思います。だけど、千年王国型願望時間でも、まだ近代ではない頃は完全に信仰なんですよ。「神の国」の到来なんです。人間がつくりだすものではない。だから、近代のように、その過程で人間をみんな巻き込んでいくようなところがない。ところが近代は、人が神になった「人神」が創る「人神の国」を人間の力でつくろうとするから、すごいことになるわけです。

だから僕は、世俗的な社会変革というのはユートピア型で考えていく方がいいのではないかと思うんですね。その場合、それによって全部が救われたり、理想的な社会ができたりするということは、まず考えられない。良い社会を創ることを否定しているわけではない。ただ、僕らが信じていたような、最終革命によって歴史の前史が終わって後史に入る、これからが本史だというようなことはないということです。

そして、その最終革命という考え方は、世俗化されたものではあるけれども、ある意味で神を立てている考え方だと思うわけです。レーニンなんかでもそうで、プロレタリアートの前衛党というのを見ても、やっぱりプロレタリアートは約束の民で、前衛党は使徒なんですよ。そして、プロレタリアートは社会の内にある存在ではない。市民社会の外にある。マルクスも、プロレタリアートというのは、市民社会の中にあるように見えるけれども市民社会のいかなる階級でもないような階級であるとか、市民社会の中にある階級というよりは市民社会の下にある土台なんだとか、あるいは無であるからこそ全てでなければならないと考えている階級なんだとか言うわけですね。

つまり、最終革命としてのプロレタリア革命というのは、市民社会に対して外から来るものであって、市民社会が成熟し、その中から出てくるというものではない。そして、外から来るためには、生きて動く神のエイジェント、神の使徒が必要なんです。この場合の神とは、世俗化された神、歴史の法則あるいはヘーゲルのいう絶対精神の物質化されたものなんですけれども、その神の啓示を受けた使徒が約束の民を率いて市民社会の外からやってきて、市民社会を壊して新しい社会を創る。これは完全に終末論的な考え方、千年王国的な考え方です。ただ使徒としての前衛党は、神の使徒ではなくて、「人神」の使徒、神になった人間のエイジェントだから、結局ドストエフスキー的状況に行き着いていくしかなかったわけです。

これはレーニンだけではなくて、ボグダーノフやルナチャンスキー、ゴーリキーら建神派(10)はさらにそれがはっきりしていて、前衛党が中心になってプロレタリアートを率い、新しい神を建てる、「新しい人間」が神になるということですよね。そして、革命前の一時期、むしろボリシェヴィキのなかではそれが多数派だった。その後のスターリンの時代でも、建神派は粛清されないでけっこう残っていますしね。

ベルジャーエフは、ロシア革命以後のボリシェヴィキの社会も、新しい中世になる可能性があると言っているわけですよね。[11] それから、一九二〇年代にはカール・シュミットにしてもカール・バルトにしても、レーニンの『国家と革命』の影響をすごく受けている。レーニン革命論はその段階での世俗化されたかたちでの神の建て方だったのではないかと思うんですね。マルクスにも終末論的なところがありますが、それとは少し違うと思います。

――ベルジャーエフは、知と信が切り離されてしまったことに問題があると言いますね。そこに、近代の科学主義や技術主義を一方的に肥大化させていった二〇世紀の問題があるように思います。

大窪 そうだと思いますね。やはりフーコーのいう知の権力が問題であって、マルクス主義でもエンゲルスは典型的ですが、科学的社会主義というのは、実在に対する全面的な認識を得ることができるし、得ることによってそれを適用して革命をやるのだという考え方ですよね。社会もそれによって創るということです。正しい実在認識によって社会全体を覆って、それによって新しい社会を創るという考え方は、エンゲルスなどのマルクス主義者だけではなくて、近代にはずっとあった思考様式です。

ですが最初はそうではなかった。コントなんかもそうではないんですよ。知と信でいえば、実証主義協会の知と人類教の信が一緒になって、知と信の一体化によって社会を創るという考え方だし、ヘーゲルの場合は絶対精神が真理の主体として神みたいなものですから、知と信はあらかじめ一体化されている。

だけど、僕が可能性として考えたのは、それとは違うんです。クロポトキンが言っているように、氏族の共同社会が崩れたら、その凝集力を保存しながら、ちがう共同体を創ってくる人たちがいた。そして村落共同体ができてくる。さらに、今度は村落共同体が潰れていくと、ギルド的結合社会を新しく創って、それを社会として建てていく人たちがいた。そのくりかえしでやってきたんだとクロポトキンはいうわけです。いま、この可能性をなんとか現実化することができないか、ということなんです。僕は、クロポトキンと同じように、ギルド的結合社会が崩れて近代社会ができてくるとき、その凝集力を保存しながら、新しい結合体として建ってくるのは協同組合、生産と消費の協同組合に基礎をおいた結合社会ではないか、と考えたわけです。

ところが近代においては、結局それが近代原理の支配の下では、できない。なぜかというと、近代では国家と社会が分離され、社会は個人個人がバラバラの市民社会になってしまって、国家が幻想的な共同性をになうというかたちになっていく。クロポトキンが『相互扶助論』でいっている「各人は自己のために、国家は万人のために」という原則ですね[12]。これを打破しないと、社会に共同性を取り戻せないわけですよ。しかも、その場合でも、主権という考え方から、近代国民国家に照応する国民社会を唯一の社会としてやっていくわけです。国家と社会が分離されたままで、それが全体として国民社会をなしてくるかのようなかたちをとって、そうではない社会をみんな潰していったわけですからね。

いま部分社会を創ることの難しさ

——卑近な例で言っても、共同体がみんな潰されてしまった後に、国家とはちがう共同体を創ろうとしても、共産党にせよオウム真理教にせよ、みんな国家の似姿になってしまうという問題がありますね。オウム真理教も上九一色村に行って別の共同体を創ろうとするなかで、省庁制のように国家とまったく同じ構造をとっていく。マトリョーシカ人形のように、新しい共同体といったときに、すべて国家と同じになっていく。それは近代主義の問題なのでしょうか。革命運動においても、対国家権力との関係で国家に似て同じような構造をとってしまう。共産党も天皇制的なピラミッドのかたちをとってしまうわけですね。いま相互扶助を論じる上で、その問題を避けて通ることはできないように思います。

大窪　どうやってその問題を打開するかは難しいですが、やはり個人というものをどう考えるかだと思います。中世に生まれた個人をいまどう復活させるかを考えている人は、どうもいないみたいですけれども、僕はそれを考えてみたい。いま自由な個が考えられるとするなら、個人はどうあるべきか。そのためには近代的個人を批判しないとできないんだけれども、その批判をすると、全体主義やコミュニタリアニズム[13]だと見なされてしまう。でも、そうではなくて、あくまで自由な個に立脚した社会を考えていく。自由な個でありながら社会を形成することができるような個人というのは、いったいどうあり得るのかを考えてみたいんです。クロポトキンやベルクソンには、そのヒントがあると思います。

ただ、いま現実に部分社会を創ろうとしたら、非常に難しいですね。たとえば、派遣切りが横行して派遣労働者や期間工がクビになっている。ところが、それに対して自動車工場なら自動車工場の職場で部分社会を創ることができていないから、職場の問題にはならなくて、個別契約関係において対抗すること、それを束ねることしかできていないわけです。また、派遣労働者ももちろん自分たちの権利の主張はしているんだけれども、それがまとまって派遣労働者の部分社会を創っていく、あるいは派遣元を飲み込むような労働者集団を創っていくという方向には行かない。かつてのようなフーコーのいう規律権力で統べられている工場なら、規律権力に反射的に対応する職場権力がそれなりに形成されるんだけど、コース別管理で分断された管理権力支配になっているうえに、派遣というかたちで個別バラバラにされているから、どちらにおいても部分社会を創るのが非常に難しいんですね。

僕は作家の宮崎学と一緒に二年ほど山口組と日本のヤクザの研究をやったんですが[14]、近代ヤクザというのは、明治の産業革命期に、沖仲仕や土方、筑豊炭田から石炭を運ぶ舟の船頭といった非正規労働者の中から出てきた組なんですね。個々バラバラではできないから、その中から親方・子方関係を作り、親方から統率者が出てきて組を作って、資本に対して対抗しつつ補完するかたちになったのが、日本の近代ヤクザの最初です。その時の親分というのはみんな、船頭だったり沖仲仕だったり炭鉱夫だったりしたわけで、昔からいた博徒とは全然ちがうかたちで出てきたわけです。

ところが、いまの派遣労働者には、そうした組ができない状況がある。それをどう考えるかですね。

——大窪さんは川上徹さんと『素描・1960年代』で、企業社会とエゴイズムの問題を話されていましたけれども、一九六〇年代のロマン主義的な個人主義がそのまま企業社会の企業戦士へと移行してしまって、個々バラバラのエゴイズムのまま、個人主義でもなく集団主義でもない日本的企業の擬似共同体を形成したわけですね。いまの派遣労働者が部分社会を作ることができない問題にもそれが影響していると考えることができるんでしょうか。

大窪　日本の場合には、近代的個人の個人主義もないと思うんですね。だから、企業の日本的経営の擬似共同体の絆が解除されても、そこから出てくるのは自由な個ではないどころか、近代的個人ですらなくて、「私」的なエゴでしかなかったわけです。九〇年代に日本は個人主義の社会になったというようなことがいわれていたけど、そんなものじゃないんです。ただ、それは日本だけではない気もします。

――無数の共同体が遍在し、自律的に組み合わさったり、また離れたりするという流動性もなく、大杉の言うような「乱調」もないとするならば、相互扶助も成り立たないですね。

大窪　そうなんですよね。だから僕は、たとえば評議会なら評議会という型だけで押すというふうには考えなくていいと思うんです。いろんなかたちのものを作っていけばいいと思うし、その時にはプロレタリアートとしての普遍的アイデンティティも必要ないと思います。

もう政治家がだめだとずっと言われているけれども、代行者としての政治家がだめなら、自分たちでできるかといえば、いま自分たちのことを自分たちで解決するための政治なんて、もうだれにもできないわけでしょう。そういう政治を行使すれば、その結果は全部自分たちの痛みになるんだけれども、僕らの若い頃はまだそれがある程度あったわけです。相対的にではあっても国家と切れた部分社会があった。ところが、いまはもうそれができないんですね。できないことはないのかもしれないけれど、非常にむずかしい。ある程度の規模で結合力をもった共通の基盤をつくりだすことすら非常にむずかしい。

そこで改めて相互扶助について考えてみると、話が急に飛んでしまいますが、たとえばトルストイは、ドゥホボール教徒やクエーカーのような人たちの信仰を、近代化した後の宗教的な紐帯として考えていたわけですね。トルストイはドゥホボール教徒の共同体を維持する資金のために『復活』を書いたんですね。『神の国は汝等の裡にあり』[15]では、相互扶助のための宗教的紐帯について説いている。僕はそれに共感しているんです。つまり、具体的には、中世のいわゆる再洗礼派、アナバプティストと呼ばれる人たちがもっていた可能性です。ところが、いまアナバプティストの末裔というのはアーミッシュしか残っていないわけで、そういうかたちでしかありえないという問題があります。

アナバプティスト[16]はドイツ農民戦争の頃に、領主からもカトリックからもプロテスタントからも迫害されて、誇張でなくほとんど皆殺しにされたわけです。平和主義的な部分だって殺されて、何とか生きのびたほんのわずかの人たちがアメリカに逃げて、アーミッシュになった。それしか残っていないんですね。クエーカーはそれほどではないにせよ、やはり同じで、アメリカに逃げた。彼らはヨーロッパ近代化の最大の敵だったんだと思います。

一方で、先ほど出された国内植民地（Siedlung）あるいは共産共同体の問題を採ってみると、それなりに成功したのは宗教的紐帯をもっていた共同体だけです。そういう点では、やはり宗教の問題というのがある。それを考えたとき、いきなり飛躍しますが、僕は日本において社会形成の共通の宗教的基盤になりうるものは神道しかないんではないかと思っているんです。それで僕はまた別の意味で反動だと思われているんだけれども、神道は完全に慣習とタブーの体系、それも諸宗教に対して開かれた体系であって、社会形成の共通の宗教的基盤になりうるのではないかと思うんです。

日本の神道の可能性

――日本の神道はアニミズムの自然信仰に近いものですね。

大窪　僕はそうだとも思わないんです。神道はアニミズムですらない。宗教学でいうアニミズムは、精霊や死霊から神までみんな霊的存在、アニマとしていっしょくたにしてしまうわけですけど、その概念はやはりおかしい。たとえば神道のカミとマヤ、アステックの神とでは、自然信仰といっても、あまりにも大きく違うからです。神道の神祇というのは、要するに惟神《かむながら》、カミの心のままというジットトリヒカイト（Sittlichkeit　道義心）で、そういうかたちで人為を超えて人倫の共同体に向けて慣習とタブーを統べるものなんじゃないかと思います。

そういうものだから、近代でも、明治期に井上毅たちは市民宗教としての国家神道を立てていったんだろうと思います。それを宗教的基盤として日本的近代国家をつくろうとした。僕は、それはある意味では妥当なやりかただったと思うんですよ。そして日本人にはいまだにそういうカミ信仰があると思うし、僕も自分自身それをすごく感じるんです。「もったいない」という考え方一つとっても、いまは環境保護の精神のように言われますけれども、そうではなくて、カミ信仰に基づいて、生きているものがちゃんと生を全うできるようにしようということなんです。

――まさにクロポトキンの『相互扶助論』ですね。

大窪 そういうふうにもいえますよね。

――ただ、神道が国家神道に規定されてしまったという問題がありますね。

大窪 僕もそれは感じていて、国家神道というかたちで神道を習俗の体系として立てたのは必ずしもまちがいではないと思うんだけど、しかしその底にあるもの自体は信仰と名づけられるものだった。国家神道は神道信仰の否定ではなかったはずなんです。カミ信仰を保存しながら国家神道が立てられたはずだった。ところが、国家神道がさまざまなかたちで戦争遂行に使われるなかで、カミ信仰そのものがそこに結びつけられて、国家神道ではなくて事実上の神道国教化になっちゃった。その結果、敗戦でそれがだめだということになったら、即神道否定になっちゃって、それによってカミ信仰そのものも否定されることになってしまったという問題があります。

僕は靖国神社の元々は悪いとは思わない。だけれども、現在の靖国の存在形態自体、悪い意味できわめて近代的なんです。靖国神社は、カミ信仰の場というよりは、むしろ戦争記念館、軍事博物館になってしまっているわけでしょう。

——確信犯ですね。

大窪 それは、神道の信仰から外れていると思うんですね。神道だから反動的だということではなくて、むしろカミ信仰から外れて神道を使っている面が問題だと思うんですよ。

——南方熊楠ではありませんが、村落共同体の中心にあった鎮守の森の信仰のように、それが部分社会を形成していた。それを全て統制し、国家神道へと一本化される前の、近代国家によって統合される以前にその共同体にあった習俗や信仰は、クロポトキンのいう相互扶助の紐帯によってかたちづくられていたということですね。

大窪 そうだと思います。そして、たとえ村落共同体が解体されても、その信仰と紐帯がある限り、ムラとは別の共同体形成ができると思うんですよ。つまり、何を言いたいかというと、権藤成卿[17]なんです。

――権藤の「社稷《しゃしょく》」ですね。

大窪　ええ。国家以前の共同性の原基である社稷、それは「民族」という意味ではくくれないフォルクと通ずるものがある。僕はそれをちゃんと評価すべきだと考えています。それに関連させながら、天皇の問題もまた別のかたちで見る必要がある。近代天皇制というのは、ああいうふうになったわけだけれども、なぜ天皇でまとめることができたのかということを考えると、日本的な共同体形成力の問題が出てくるわけです。そして、いまはもう天皇ではまとめられなくなっているわけでしょう。それは何故なのか。近代にも通用した日本的な共同体形成力とは、もともとどういうもので、それがいまどうなってしまっているのか。そういう問題を考えるべきです。それは自由な個を基盤にするということと矛盾しない。

日本の近代において共同体が天皇でまとまることができたという、その使われ方はいろいろあったけれども、いま脱近代に直面しているなかでは、ヨーロッパの近代国民国家とちがう可能性をもっていたところを見ることが重要だと思うんです。ですから、その可能性を探る意味でも、権藤成卿に取り組んでみようと思っているわけです。権藤は農本主義だから、もう古くて通用しないという人もいますが、むしろ農本主義だからこそ、いま新しいという面がある。権藤の著作も、いま読めるものは黒色戦線社版の著作集ですよね。つまり、右翼はいまはもう権藤なんて読まないようですけど、アナキストがちゃんとそれを保存してくれているわけです。

――さきほどお話のあった一九二〇年代の思想の再検討ともつながりますが、右翼と左翼といった近代イデオロギーによる裁断では捉えることのできない、「新しい中世」の課題がそこにありますね。

大窪　だから、もう近代右翼や近代左翼はやめて、超近代・脱近代の右翼と左翼というかたちになっていかないといけない。別に左右にこだわることはないんだけど、そういうかたちで、いまある右翼思想も左翼思想も脱近代的に組み直していく必要がある。それは一九二〇年代に起こったことでもあるんです。そうすれば、過去の思想もいろんなかたちで生きてくるし、かつての左翼のなかでも、トロツキストだスターリニストだと言っていたのが、現実にいま一緒に考えるようになってきているわけだけれども、そうした試みが、右翼といわれる人たちともできるのではないかと思います。

（二〇〇九年三月二六日）

注

（1）　社会哲学者のオトマール・シュパン（Othmar Spann 1878~1955）は、カトリックの普遍主義にもとづく全体主義社会論を唱えて初期ナチズムに影響をあたえたが、一九三八年ナチスによって投獄され教授職を追われた。ワイマール共和制に反対し保守革命を推進した法律家エドガー・ユング（Edgar

Jung 1894~1934）は、初期ナチズム周縁の保守急進派に影響をあたえたが、一九三四年ナチスによって殺害された。

（2）レーニンは「大国民族の地主および資本家諸君の利害ときわめてかたくむすびついた根をもつ、非常に深い思想的潮流」のなかにクロポトキンの名前を挙げ、クロポトキン個人ではないものの、この「思想的潮流」に悪罵を投げつけている。『レーニン全集』第二一巻 pp.93~97　ただし、レーニンは、一九一九年三月にクロポトキンと会談して意見を聴いており、一九二〇年三月にクロポトキンが送った手紙でのべた「地方人民の創造力に帰れ」という趣旨の諫言に対しても尊重する姿勢を示しているなど、この老革命家に最期まで敬意を払っていた。

（3）『相互扶助論』（新装増補修訂版、同時代社、二〇一七年）pp.122~127

（4）二〇〇九年三月一九日、群馬県渋川市の高齢者施設「静養ホームたまゆら」の火災で一〇人が犠牲になったが、犠牲者の多くは、東京都の生活保護を受けて暮らす身寄りのない困窮者だった。都内から群馬県など地方の施設に困窮者が送られてくる「貧困ビジネス」の実態が明らかになった。

（5）オーギュスト・コント［霧生和夫訳］『社会再組織に必要な科学的作業のプラン』、世界の名著46（中央公論社、一九八〇年）参照。

（6）この「近代の完成」をめぐるカントとマルクスの考え方については、大窪一志『アナキズムの再生』（にんげん出版、二〇一〇年）で「近代革命のカント的完遂」「近代革命のマルクス的完遂」としてのべた（同書 pp.21~26）ので参照されたい。

（7）理神論（deim : Deismus）とは、神についての全ては理性によって知りうるという立場で、逆に言えば理性によってとらえられない「啓示」「恩寵」「奇蹟」などを信じない立場である。この立場がそのままそうなるわけではないが、近代において「神人」（人となった神）に対する信仰から「人神」（神となった人）に対する礼賛への転換を導くものともなった。

（8） ソボールノスチ（sobornost）は、一九世紀前半にロシアで活躍したスラブ派の詩人・哲学者アレクセイ・ホミャーコフが建設を唱えた精神的共同体で、霊的に覚醒した人格の自由な結合として、宗教的な性格をもつものであった。

（9） Alfred Doren, Wunschräume und Wunschzeiten. In: Fritz Saxl (Hrsg.): *Vorträge der Bibliothek Warburg 1924-1925*, Leipzig, Berlin 1927. 日本語訳はアルフレート・ドーレン［岡田浩平・大久保進訳］「願望空間と願望時間」、『海』一九七〇年八月号 pp.228~245

（10） 彼らが唱えた建神主義（bogostroitel'stvo）とは、社会主義は人類史全体を通じて真に創造的な契機である宗教的心情から直接生まれてきたものであり、特にキリスト教に内包されていた自然的コミュニズムを道徳的基礎とするものである、という考え方で、神のない「労働の宗教」を新たに建てようとした。廣岡正久『ソヴィエト政治と宗教』（未来社、一九八八年）pp.13~39 の第一章＝ロシヤ・マルクス主義と「建神主義」思想を参照。

（11） ニコライ・ベルジャーエフ［荒川龍彦訳］『現代の終末』（社会思想社、一九五八年）第二章参照。

（12） 前掲・『相互扶助論』p.19

（13） コミュニタリアニズムとは、アメリカの哲学者アラスディル・マッキンタイアらが唱えた共同体の結びつきを重視する倫理学説。個人を原子のようにとらえる近代個人主義の人間観を批判して、共同の次元で形成される「共通善」の観念を強調している。僕は、近代的人間観の批判に多くの点で同調するが、「共通善」ではなく「生きた個人の志向」から出発して新しい関係を創っていくべきだと考える。

（14） この山口組と近代ヤクザの研究は、宮崎学『近代ヤクザ肯定論』（筑摩書房、二〇〇七年）、同『ヤクザと日本』（ちくま新書、二〇〇八年）として刊行された。

（15）ドゥホボール（Doukhobor）は、一八世紀以前にロシア・ウクライナの農民の間に生まれたとされるキリスト教の教派で、世俗的権威・宗教的権威を否定し、独自の農業共同体を形成した。一九世紀に帝政によって弾圧され、アメリカ大陸に逃れた。クエーカー（Quaker）はイギリスのピューリタン革命を契機にイングランドに生まれたプロテスタントの教派で、教会による信仰生活の制度化に反対し、霊的体験を重んじ、神秘体験のなかで身体を震わせるところから「身震いする人」という意味でクエーカーと呼ばれた。イギリスでもアメリカでも弾圧された。

（16）再洗礼派（Anabaptist）は、一六世紀宗教改革期のドイツ語圏で宗教改革者ウルリッヒ・ツヴィングリの弟子たちのなかから生まれた教派で、幼児洗礼を否定し、本人の自覚のもとに再洗礼を授けたので、再洗礼派と呼ばれた。一五二四年のドイツ農民戦争、一五三四―三五年のミュンスター千年王国などの叛乱の主体となったことで知られる。

（17）制度学者の権藤成卿は、近代日本における社会の資本主義、国家の官治主義を批判して、地霊と穀霊の祭祀に立脚した「社稷」共同体に拠った農本主義の自治社会を建設しようとした。主著『皇民自治本義』『自治民政理』。

あとがきにかえて　相互扶助の甦りを考える

パンデミックに対する「自衛」が変えるもの

二〇一九年から二〇二一年にかけてパンデミックをもたらして世界中を覆いつづけている新型コロナウィルスCOVID-19、その流行が現代世界のなかにすではらまれていた終わりと始まりをあらわにしはじめました。

二〇一一年の東日本大震災のとき、この大震災をきっかけに日本は生まれ変わるという見方がマスメディアを通じて論客たちによって広められ、僕の友人たちのなかにもそのように言っている人たちがいました。しかし、僕は、自分自身で視た情況から、そんなことはないと思いましたし、被災地を訪れた体験から復興はそう簡単には進まない、とも思いました。そのとおりになりました。けれど、いまこのパンデミックのなかで、僕は、ああ、これで終わるものは終わっていくな、そして始まるべきものがあまり目立たないところからだけど着実に始まっていくな、と思いました。

新型コロナウィルスの大流行は、巨大地震のように局地的な自然の変動によるものではなく、僕らの生活圏と活動圏のなかで、しかもその生活のしかた、活動のしかたそのものが原因で世界中で起こっていることなのです。そして、そうである以上、生活のしかた、活動のしかたそのもの、それを強いている社会システムを変えないと予防もできないし再発を阻止することもできないのです。二年にわたる体験のなかで、僕らはそのことを身をもって理解しはじめています。そして、そうした認識のもとで、パンデミックに対する「自衛」反応が、知らず知らずに生活のしかた、活動のしかたを変えはじめているのです。

地球規模の生物圏の「自衛」活動

チンパンジーの研究でよく知られている霊長類学者ジェーン・グドールさんは、今回のパンデミックについて、こう言っています(1)。

「われわれが森を破壊すると、森にいるさまざまな種の動物が近接して生きていかざるを得なくなり、その結果、病気が動物から動物へと伝染する。そして、病気をうつされた動物が人間と密接に接触するようになり、人間に伝染する可能性が高まる」。

その結果が、この世界的流行だ、と。

付け加えれば、今回の流行をもたらしたコロナウィルスは、野生動物の体内では、その動物たちをそれほど害することなく、共生していたのです。しかし、森を破壊され、都市に出てきた野生動物の身体のなかに住んでいたウィルスは、行き場がありません。新しい宿主を探して、そこを住処にしなければ繁殖することができません。そこで、都市にはたくさんいる人間の体内でも住めるようになる変異を起こして、移住してきたのです。

最近、野生動物の群れが都市に現れるというニュースをよく聞くようになりました。日本でも、イノシシ、シカ、サルをはじめ、さまざまな野生動物が大都市に侵入しています。いまこれを書いているときにも、中国雲南省でゾウの群れが都市に侵入し住民が避難したというニュースを聞きました。(2) 野生動物は生き残りのために、次々に人間の生活圏に移動してきているのです。

地球規模の生物圏（global biosphere）は、それ自体複合的で有機的なもので、自己調整機能をそなえている生命体のようなものだととらえているNASAの科学者ジェームズ・ラブロック——かつては「トンデモ科学」のように扱われていた彼の考え方も今やだんだん受け容れられるようになってきました——そのラブロックさんは、このような事態は、人間によってみずからを攻撃され、破壊されてきた生物圏が起こした「自衛」反応なのだと言っています。そして、その「自衛」反応は、人間たち一人ひとりに対して向けられることになるのです。森を破壊したのは、国家や企業の開発行為のせいだといっても、他の生物たちはそんなことは知りません。人間固有の生物圏の拡張つまり僕たちの生活と仕事の拡大がそれをもたらしたのですから。

アントロポシーンの終わり？

構造地質学研究者で四六億年に及ぶ地球の歴史に関心を寄せつづけてきた友人の伊藤谷生さんは、一〇年以上前に僕に、D・メドウズらの『成長の限界』などを踏まえながら、二〇三〇年ごろまでに地球はまったく様相を変えるのではないか、と言っていました。当時から地球温暖化の深刻さは指摘されていましたが、それは一つの現れにすぎない、大気・水の循環、土壌の形成・維持・更新、動植物の生命活動の循環などといった地球規模の循環システムは相互に衝突・連動しながら全体として機能不全となり、それがどんどん拡大・進行していく、極端に言えば人類を長きにわたって支えてきた環境システムは二〇三〇年ごろには破綻するに至る、そしてその破綻で人間文明が失速することによって自然はバランスの回復に向かうのではないか――というのです。つまり、自然の「自衛」が文明を滅亡の方向にもっていこうとしているということです。

確かに、その後の超大型台風・豪雨・大洪水の連続、異常高温・極地の氷山融解・永久凍土の異変・害虫の大量発生など気象や環境の急激な変化は、伊藤さんの予測通りになっていることを示しました。

その後、ほかの科学者も同じようなことをいっていることを知りました。たとえば、「宇宙開闢から一三八億年の人間史」を概観した教科書『ビッグヒストリー』は、そうした科学者たちの警告を総括的にこう書いています。[3]

「地球の生物圏に割り当てられたエネルギーの四分の一から半分近くが、単一種「人間という種」によって恣意的に使われている状況だ」が、そういう状況のなかで「人間はもはや自分たちで制御できない変化にすでに踏み出してしまったのではないかと思わされる」と。

人間という種が生物圏を支配する時代を『ビッグヒストリー』は「アントロポシーン」(Anthropocene)の時代と呼びました。アントロポシーンとは人間という種が生物圏を支配する時代という地質学的時代区分を指しています。この時代は近代とともに始まったものですが、これまでの時代とはまったく様相を異にする膨大な生産力の発展や人口の増大を見せ、しかもそれが加速度的に亢進する様相を示しました。

このような急激な変化によって、地球システムにおける物やエネルギーの流れが変わり、流れの構成要素まで変わっていってしまった——地球物理学者の松井孝典さんは、そう言っています。人間の活動が、かつては地球システムの駆動力に依存したフィードバック機構を利用する「フロー依存型」であったものが、原子力、石油、石炭、天然ガスといった駆動力を人間圏の内部に持つ「ストック型」に大きく変化してしまい、それによって地球上で自在に物を動かすことができるようになった反面、地球システムからの負のフィードバックを受けるようになったというのです。[4] この「負のフィードバック」というのが、僕がさっき「生物圏が起こした『自衛』反応」といったものに当たるのだと思います。

そして、日本の環境省は二〇二〇年版『環境白書』で、科学者の知見にもとづきながら、現在の状況は「気象変動」ではなく「気象危機」であると宣言し、脱炭素、循環経済、分散型社会への移行が進むよう経済社会を再設計しなければならないと問題提起して、ポストコロナの経済復興の行き過ぎを図らずも牽制しました。

こうしたことが次々に明らかにされていっているなかで新型コロナウィルスによるパンデミックが起こったのです。

暮らしと仕事の変容

このパンデミックの結果、人間の経済活動は急激に縮小し、ＩＭＦ「世界経済見通し」では二〇二〇年の世界の実質ＧＤＰは三％減少が予測されました。中国では二〇二〇年第１四半期に前年同期比三三・八％減少、アメリカでは第２四半期に前年同期比三六・五％以上減少すると予測されています。大幅な下降です。二酸化炭素排出量は昨年に比べ一七％（日量一七〇〇万トン）減少したということで、第二次世界大戦後最大の減少幅です。

これは、ウィルスの力による生物圏の自衛反応の「成果」といえるでしょう。意図せざる自衛力の発動が人間の過剰な生産活動を抑制して地球環境のバランスを回復する方向に働いたのです。もちろん、感染が沈静化すれば経済活動はふたたび活性化するでしょう。しかし、この期間に強いられたかたちではあっても習慣化した「新しい日常」への生活変容、それを支えたマインドの変容は残ります。

日本社会だけ見ても、生活のしかた、仕事のしかたの変容ははっきりと表れてきています。リモートワーク、遠隔診療などのリモートによる活動がすっかり定着し、インターネットを使ったオンディマンドコンサルティング、Ｅコマースなども拡大し定着しはじめてきています。

Eコマースの収益は二〇二〇年第2四半期に世界中で前年同期比七五%もの大幅な伸びを記録したそうです[5]。在宅勤務の恒常化も見られるようになってきて、それにともなって、ワーケイション（work+vacation）に典型的に見られるワークとプライベートの融合、ワークの自己管理の進展が現れてきています。また、企業はこれまで禁止していた兼業を認めるようになり、ダブルワークに従事するワーカーたちが増えてきました。事務所や本社を大都市から地方に移転する企業も出てきました。一極集中から地方分散への流れです。

そして、こうした生活のしかた、仕事のしかたの変化は、具体的な場面での助け合いをうながすものとしても現れてきています。ロックダウンがおこなわれたヨーロッパの都市の多くでは、フードバンクや生鮮食品の分け合い、近隣家族の助け合いが広範におこなわれました。それらがsustainable development（持続可能な発展）やresilience（自分自身、自分たち自身の復元力）と結びつけて意識されているのが特徴的です。ヨーロッパだけではありません、アジアにもイスラーム諸国にも、もちろん日本でも、さまざまな助け合いが展開されています。

こうした変化はコロナ禍によってにわかに現れたものではありません。すでに顕在化していた地球規模の環境危機、生命活動の循環サイクルの破綻に対応しようとして世界中で興りはじめていたことなのです。スウェーデンの一五歳の少女が巻き起こした「グレータ・トゥーンベリ効果」はまたたくまに世界中に広まったのです。そして、こうした動きがコロナ禍によって加速され、定着されようとしているのです。

コロナ禍のもとでのオリンピック開催に八〇％もの人たちが賛成しなかったのも、コロナ流行以前から、「オリンピックで国民が一体になって盛り上がって国運を上昇させよう！」といった「六四年東京オリンピックのように高度成長の夢よ、もう一度」のテンションに多くの市民、特に若者たちが違和感をもち、醒めていたからだろうと思います。むりやり経済成長を求める気持ちはもはやないのです。むしろ、闇雲な成長経済に反感を懐いている若者が多くいるのです。その違和、政府やＪＯＣのアナクロな高揚感と市民の醒めた感覚との落差が、コロナ禍によってさらに大きくなり、はっきりと出てきたのではないでしょうか。

だから、コロナ禍によってもたらされた新しい暮らし方・働き方は一過性のものではなく、根深いところから起こって持続していくにちがいない変化なのです。それが二〇一一年の東日本大震災のときとの違いです。フランスの歴史人口学者エマニュエル・トッドさんは「コロナ以後（ポスト・コロナ）について、私は『何も変わらないが、物事は加速し、悪化する』という考えです」と言っていますが[6]、これは進行中の変化の継承と持続を意味するものです。この「加速」する物事のなかには地球規模の環境と生命活動の循環サイクルの「悪化」だけでなく、それに対抗する生活と仕事の「変化」も入っているのだと僕は思うのです。

相互扶助社会による危機脱出

このような変化を受けて、そのうちに、もちろん全部の人たちというわけではありませんが、ある一定部分の人たちは、かならず自然と社会に対する見方、それに対する自分たち自身の関わり方を変えるようになるでしょう。そして、自分たちの生活と仕事のありかたを変えるようになるでしょう。そうなれば、それぞれの人たちの内側からの変革が始まり広がるにちがいありません。

本書でも説いてきたとおり、アントロポシーンの時代である近代は、「一人は万人のために、万人は一人のために」という関係を切り捨てて、「各人は自己のために、国家は万人のために」を原則とする社会をつくってしまいました。「万人のために」おこなうべきことを国家に託して、「各人のために」おこなうことを各人の自由にするという分離をおこない、それを原理とした社会と国家を成立させたのです。「万人のための国家」と「各人のための社会」という分離をすることによって社会における相互扶助を「不要」なものにしてしまったわけです。けれど、国家がおこなっている万人のための施策とは、つまるところ、生産力を高め経済を成長させて消費しうる物資やサーヴィスを増やし、それを万人に分けるということでしかありません。

この経済成長の闇雲な追求が地球規模の環境と生命活動の循環サイクルの危機をもたらすとともに、配分がうまく行き渡らなくて困っている人の救済を具体的で人格的な相互扶助から抽象的で非人格的なシステムへの依存へと変質させてしまったのです。

これに対して、「新しい生活様式」の発展のなかで経済成長に依存しない持続可能な経済をつくりだし、具体的で人格的な相互扶助を甦らせてゆくなら、アメリカの経済理論家で文明評論家のジェレミー・リフキンさんがかつて『タイムウォーズ』でいった〈近代産業社会特有の「加速的」で「予測可能」で「功利的」な「人工の時間にもとづくパワーのリズム」から脱近代社会の「スローペース」で「自発的」で「参加型」の「自然な時間と共鳴するリズム」へのシフト〉[7]が、次第に受け容れられていくことが考えられます。

これは決してナイーヴな夢物語ではなく、シヴィアな現実が要請していることでもあるのです。中国でチベット人の妻とともに厳しい現実に直面しながら民主化運動を続けて国際的に注目されてきた作家の王力雄さんは、たとえ共産党独裁政権が崩壊しても、社会のなかに「自生的な文化的骨組みや生態的土台」が存在していなければ、中国は分裂し騒乱状態になるだけだとして、そうした社会の生態的基盤をつくらなくてはならないと言っています。これは中国だけでなく、破綻しつつある社会すべてにあてはまる認識なのではないでしょうか。そして、その基盤をつくるものとして「遞進民主制」を提起しています[8]。この制度について、彼はすでに一九九八年に『溶解権力　逐層逓選制』を発表しています。それは中国社会の基本単位である自然村から「自然村自治委員会」をつくり、それを基盤に自然村↓行政村↓郷……と連合を多重的に積み上げていこうという構想です[9]。

このような社会の生態的基盤の精神は相互扶助にあるのです。そして、「逐層逓選制」や「逓進民主制」の思想は、今日の社会にも潜んでいる潜在的相互扶助団体を自由な契約によって連合させていこうというクロポトキンの思想と通じるものです[10]。このような精神が広まっていき、それぞれの場によっていろいろな形を採りながら追求されていく――そうなったときが近代産業社会の本格的な終わりであり、血縁を通じた相互扶助、地縁を通じた相互扶助、業縁を通じた相互扶助に続く、選択縁を通じた新しい相互扶助社会の始まりなのです。そして、そうなれば、地球規模の環境危機、生命活動の循環サイクルの危機から脱出していく途が見えてくるのではないでしょうか。

こうした展望のなかで『相互扶助論』を読み直してみてはいかがでしょうか。

（二〇二一年五月）

注

（1）「コロナパンデミックの原因は『動物の軽視』霊長類学者グドール氏」

https://www.afpbb.com/articles/-/3278221

（2）「中国でゾウの群れが謎の北進」、朝日新聞二〇二一年五月二九日
https://news.yahoo.co.jp/articles/67dd20df15217898 59b80378b26cc56a99736baa

（3）デヴィッド・クリスチャン他［石井克弥他訳］『ビッグヒストリー』（明石書店、二〇一六年）

（4）松井孝典「人間圏とは何か？」、『日本地球惑星科学連合ニュースレター』vol.4 No.3

（5）「コロナ禍で変わるEコマースの世界最新動向」、東洋経済ONLINE二〇二一年五月二七日

（6）エマニュエル・トッド［大野舞訳］『大分断』（PHP研究所、二〇二〇年）p.8

（7）Jeremy Rifkin, *Time Wars*, New York, 1987, paperback edition, pp.228~229

（8）王力雄「共産党独裁崩壊で中国は分裂する」、『文藝春秋』二〇二〇年二月号pp.304~305

（9）王力雄が主唱している「逓進民主制」の内容については、日本語に訳されているものとしては王力雄『私の西域、君の東トルキスタン』（馬場裕之訳、集広舎、二〇一一年）のpp.434~446「三番目の手紙――『逓進民主制』に何ができるか」に概略がのべられています。

（10）注9で紹介した手紙に書かれている「逓進民主制」の概略を読むと、本書pp.99~106でクロポトキンの発想にもとづきながら描いた「多元重層連合社会」の社会像と共通するところが多いことがわかります。

著者略歴
大窪一志（おおくぼ・かずし）
1946年生まれ。東京大学文学部哲学科卒業。編集者を経て著述業。『アナキズムの再生』（にんげん出版）、『自治社会の原像』『「新しい中世」の始まりと日本――融解する近代と日本の再発見』（以上、花伝社）、『素描・1960年代』〔川上徹氏と共著〕『アナ・ボル論争』〔編著〕ホロウェイ『権力を取らずに世界を変える』〔四茂野修氏と共訳〕ランダウアー『レボルツィオーン――再生の歴史哲学』〔訳〕ランダウアー『懐疑と神秘思想――再生の世界認識』〔訳〕クロポトキン『相互扶助再論』〔訳〕（以上、同時代社）などの著書・訳書がある。
ブログ『単独者通信』
http://neuemittelalter.blog.fc2.com/

相互扶助の精神と実践
――クロポトキン『相互扶助論』から学ぶ

2021年8月10日　初版第1刷発行

著　者　大窪一志
装　幀　クリエイティブ・コンセプト
組　版　有限会社閏月社
発行者　川上　隆
発行所　株式会社同時代社
〒101-0065　東京都千代田区西神田2-7-6
電話　03(3261)3149　FAX　03(3261)3237
印　刷　中央精版印刷株式会社

ISBN978-4-88683-905-3